Mexico

CITLALTÉPETL
(5 700 MÈTRES)

POPOCATÉPETL (5 450 MÈTRES)

· Puebla

PRESQU'ÎLE DU

YUCATÁN

ISTHME

DE

TEHUANTEPEC

MADRE DU SUD

SIERRA
MADRE DE CHIAPA

LE MEXIQUE

LE MEXIQUE

par les rédacteurs des Éditions Time-Life

EDITIONS TIME-LIFE · AMSTERDAM

EDITIONS
TIME
LIFE

ÉDITIONS TIME-LIFE

DIRECTRICE DES PUBLICATIONS POUR L'EUROPE: Kit van Tulleken
Responsable de la conception artistique: Ed Skyner
Responsable du service photographique: Pamela Marke
Responsable de la documentation: Vanessa Kramer
Responsable de la correction du texte: Ilse Gray

PEUPLES ET NATIONS

RESPONSABLE DE LA PUBLICATION:
Dale M. Brown
Maquettiste: Ray Ripper
Équipe rédactionnelle pour *Le Mexique*
Rédacteurs: Anne Horan, David S. Thomson (texte),
Jane Speicher Jordan (illustrations)
Documentalistes: Rita Thievon Mullin (responsable),
Paula York-Soderlund
Maquettiste assistante: Lynne Brown
Assistante de rédaction: Sally Rowland
Coordination du texte: Margery duMond, Robert
M.S. Somerville
Coordination de l'iconographie: Renée DeSandies,
Erin Monroney
Assistante de rédaction: Myrna E. Traylor

SERVICE DE FABRICATION DE LA
COLLECTION:
Responsable: Jane Hawker
Coordination: Alan Godwin
Rédaction: Theresa John, Debra Lelliott, Sylvia Osborne

Correspondants: Elisabeth Kraemer-Singh
(Bonn); Margot Hapgood, Dorothy Bacon
(Londres); Miriam Hsia, Lucy T. Voulgaris (New
York); Maria Vincenza Aloisi, Joséphine du
Brusle (Paris); Ann Natanson (Rome). Avec le
concours de Susan Masuoka (Mexico), Carolyn
Chubet, Christina Lieberman (New York).

ÉDITION FRANÇAISE:
Direction: Monique Poublan, Michèle Le Baube
Secrétariat de rédaction: François Lévy, Anna
Skowronsky
Traduit de l'anglais par: Frédéric Illouz

Titre original: *Mexico*
© 1985 Time-Life Books Inc. All rights reserved.
Authorized French language edition.
© 1985 Time-Life Books B.V.
Ottho Heldringstraat 5, 1066 AZ Amsterdam.
All rights reserved. First French printing.

ISBN: 273440303 X

TIME-LIFE is a trademark of Time Incorporated U.S.A.

LES CONSEILLERS: Michael D. Coe,
professeur d'anthropologie à l'université de Yale,
est un spécialiste des civilisations
précolombiennes. Guillermo de la Peña,
anthropologue, enseigne au Centre d'études
anthropologiques de l'université de Michoacán, à
Zamora. George W. Grayson, qui a publié *The
Politics of Mexican Oil*, est professeur à l'université
William and Mary de Williamsburg, en Virginie.
Lydia D. Hazera, maître de conférences de
littérature latino-américaine à l'université George
Mason de Fairfax, Virginie. Michael C. Meyer,
coauteur de *The Course of Mexican History*, dirige
le Latin American Center à l'université de
l'Arizona à Tucson. Victor Sorrell, né au
Mexique, donne des cours d'histoire de l'art
latino-américain à l'université de Chicago.

LES PHOTOGRAPHES: Pedro Meyer et
Graciela Iturbide, qui vivent à Mexico, ont
parcouru le Mexique pendant huit semaines pour
illustrer cet ouvrage. Leurs photos ont été
reproduites dans de nombreuses publications
internationales et ont suscité des expositions tant
au Mexique qu'à l'étranger.

Contributions spéciales: Les différents chapitres ont
été rédigés par Ronald H. Bailey, William Weber
Johnson, Gordon Mott, Philip W. Payne, Bryce
Walker et Gail Cameron Wescott.
Avec la collaboration de: Ann Kuhns Corson,
William Forbis, Martha R. George, Rosemary
George, Martin Mann et Milton Orshefsky.

Couverture: Cette pierre gigantesque de 24
tonnes, orgueil de la civilisation aztèque, porte en
son centre une représentation du dieu-soleil
Tonatiuh au regard énigmatique. Placée
aujourd'hui au musée national d'Anthropologie
de Mexico, la pierre du Soleil est également
appelée le Calendrier aztèque en raison des
hiéroglyphes qui l'ornent et qui représentent la
division de l'année en 18 mois de 20 jours.

Pages 1 et 2: L'aigle de la page 1 est l'emblème
du Mexique depuis 1823. La légende veut que les
Aztèques aient fondé leur capitale Tenochtitlán
(Mexico à présent) sur les lieux où il leur avait été
prédit qu'ils trouveraient un aigle perché sur un
cactus et dévorant un serpent. Cet emblème
figure sur le drapeau national (page 2).

Pages de garde: Le Mexique est un pays haut,
sec et aride à 70 p. cent, couvrant 1 970 000
kilomètres carrés. Composé surtout de chaînes de
montagnes et de plateaux, l'altitude moyenne de
son territoire est de 1 070 mètres.

Ce volume fait partie d'une collection consacrée aux pays
du monde et décrivant leur géographie, leurs populations,
leur histoire, leur économie et leur gouvernement.

TABLE DES MATIÈRES

L'EXPLOITATION DES MINES D'ARGENT

Le Mexique vient au premier rang mondial de la production d'argent, devant le Pérou et l'U.R.S.S., respectivement en deuxième et troisième position, et loin devant les pays de la Communauté économique européenne qui ne fournissent que 1,5 pour cent de la production mondiale.

Depuis l'arrivée des Espagnols, il y a plus de quatre cents ans, environ 1,2 milliard de dollars ont été tirés des minerais mexicains. Sur plus de 70 mines en exploitation aujourd'hui, la plus importante — qui est aussi la plus grande du monde — a été ouverte en 1983 et a une capacité productive de 218 tonnes par an. Actuellement, le Mexique produit 1 866 tonnes d'argent par an et l'ouverture de nouvelles mines jointe à l'expansion des anciennes viendra augmenter encore ce chiffre.

POURCENTAGE DE LA PRODUCTION MONDIALE D'ARGENT

15

10

5

MEXIQUE   PÉROU   U.R.S.S.   COMMUNAUTÉ ÉCONOMIQUE EUROPÉENNE

La ville minière de Guanajuato, jadis la plus riche du pays, produit encore 10 pour cent de l'argent extrait au Mexique. A droite, se dresse la statue d'El Pipila, héros

de la guerre d'Indépendance, durant laquelle il se distingua en attaquant seul le grenier municipal où les Espagnols s'étaient réfugiés.

VIEUX PAYS, PEUPLE JEUNE

Sur les 71 000 000 habitants du Mexique, plus de la moitié n'ont pas 20 ans. Et les moins de 30 ans représentent près des trois quarts de la population qui est 3,5 fois supérieure à son niveau de 1940. Pourquoi la croissance démographique s'est-elle accélérée ? La rapidité du développement économique et social depuis le début du siècle a suscité l'afflux des paysans pauvres vers les villes où l'amélioration des conditions sanitaires, la médecine moderne et l'instruction obligatoire ont contribué à abaisser le taux de la mortalité, notamment infantile. Il faut actuellement créer 800 000 emplois par an pour répondre à la demande des nouveaux arrivants sur le marché du travail.

POURCENTAGE DE LA POPULATION

0-9
10-19
20-29
30-39
40-49
50-59
60 +

10
20
30

Les seize membres de cette famille otomí, qui vivent sous le même toit, appartiennent à trois générations. La mère et le père (*au centre*) ont huit enfants de 6 à 28 ans

8

et trois petits-enfants.

Vue de Puerto Vallarta, station balnéaire à la mode, prise d'un deltaplane, dont on voit le canot remorqueur, à gauche. Il y a peu, ce village de pêcheurs sur la côte du

L'ESSOR DU TOURISME

Peu de pays offrent au voyageur autant d'attraits que le Mexique : climat ensoleillé, plages délicieuses, montagnes imposantes, villes et bourgades colorées, ruines anciennes et vie culturelle animée. Il n'y a donc rien d'étonnant à ce que le tourisme soit l'une des principales industries du pays ; au début des années 1980, il rapportait 1,5 milliard de dollars par an et employait 650 000 personnes. Conscients du poids économique de ce secteur, en 1974 les pouvoirs publics lui conférèrent un statut officiel en créant le ministère du Tourisme. Cet organisme a pour mission d'assurer l'entretien des structures hôtelières existantes et d'en créer de nouvelles, mais il s'est attiré les critiques de ceux pour qui l'argent et l'énergie investis dans l'accueil aux étrangers en quête de loisirs devraient plutôt être utilisés pour améliorer la condition des citoyens les plus démunis.

Pacifique était quasiment inaccessible ; à présent, des milliers d'amoureux du soleil et du sable viennent y séjourner.

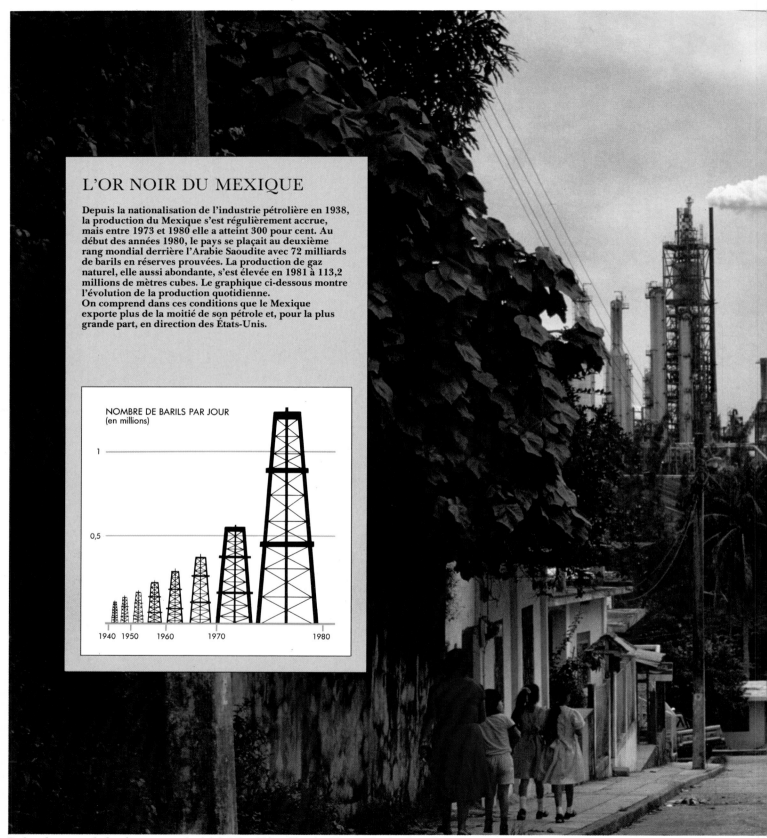

L'OR NOIR DU MEXIQUE

Depuis la nationalisation de l'industrie pétrolière en 1938,
la production du Mexique s'est régulièrement accrue,
mais entre 1973 et 1980 elle a atteint 300 pour cent. Au
début des années 1980, le pays se plaçait au deuxième
rang mondial derrière l'Arabie Saoudite avec 72 milliards
de barils en réserves prouvées. La production de gaz
naturel, elle aussi abondante, s'est élevée en 1981 à 113,2
millions de mètres cubes. Le graphique ci-dessous montre
l'évolution de la production quotidienne.
On comprend dans ces conditions que le Mexique
exporte plus de la moitié de son pétrole et, pour la plus
grande part, en direction des États-Unis.

NOMBRE DE BARILS PAR JOUR
(en millions)

1

0,5

1940 1950 1960 1970 1980

De lourds nuages de fumée traversent le ciel de Minatitlán, ville pétrolière sur la côte du golfe. Ce centre de raffinage — l'un des plus grands du Mexique — traite

journellement 200 000 barils de brut qui sont expédiés par oléoducs et tankers vers les marchés intérieur et étranger.

Le marché de Juchitán (Oaxaca) regorge des produits de la généreuse terre mexicaine. En dépit de la diminution du nombre de travailleurs agricoles, la production

LA RECONVERSION DE LA MAIN-D'ŒUVRE

L'industrialisation et la croissance du secteur tertiaire ont commencé à s'accélérer à partir du milieu du siècle (*graphique ci-contre*). Ce développement a entraîné des changements importants dans la répartition de la main-d'œuvre d'un pays qui est passé d'une économie de type agricole à l'économie urbaine et industrialisée et orientée vers les services caractéristiques des nations développées. Les chômeurs des campagnes ayant fui vers les villes, la population rurale s'est réduite. En 1950, les agriculteurs représentaient 62,4 pour cent de la main-d'œuvre totale contre 37,4 pour cent en 1980, chiffre qui devrait s'abaisser à 17,8 pour cent d'ici l'an 2000.

POURCENTAGE DE LA MAIN-D'ŒUVRE

60
50
40
30
20
10

AGRICULTURE
SERVICES
INDUSTRIE

1950   1980   2000

a augmenté considérablement depuis la modernisation des méthodes de culture.

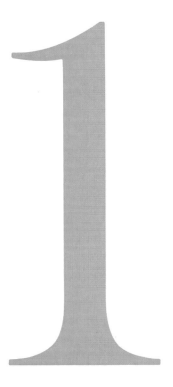

Deux enfants et leur chien surveillent le
linge qui sèche sur un *maguey* (agave),
à la manière ancestrale. « Malgré son
pétrole, le Mexique n'a pas trouvé de
remèdes contre la pauvreté, la faim, la
malnutrition et les inégalités sociales »,
a fait observer un spécialiste.

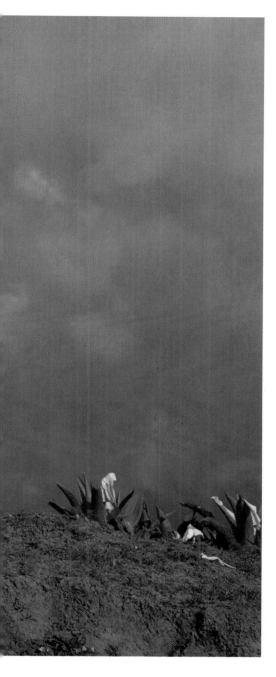

UNE TERRE DE CONTRASTES

Chaque matin, dès le lever du jour, un détachement militaire en tenue de parade se rend au pas cadencé du baroque Palais national jusqu'au milieu de la grande place de Mexico, la place de la Constitution, qu'on appelle aussi le *Zócalo*. La fanfare rend les honneurs au drapeau vert blanc rouge, au centre duquel est imprimé un aigle, perché sur un cactus, en train de dévorer un serpent. Telle est la cérémonie officielle qui marque au Mexique le début d'une journée nouvelle.

Avant le coucher du soleil, des véhicules par milliers (la ville en compte 2,4 millions), limousines avec chauffeur ou camionnettes pétaradantes, auront tournoyé furieusement autour du Zócalo, se frayant un passage à coups d'avertisseur impatients et de lestes tours de volant. Diplomates et hommes d'affaires strictement vêtus, leurs porte-documents à la main, se seront pressés au Palais national pour parler concessions pétrolières et taux de change du peso avec quelque fonctionnaire du gouvernement. Des *campesinos* (paysans) au chômage venus de la campagne se seront massés sur un côté de la place, offrant, souvent par l'intermédiaire d'une pancarte manuscrite, leurs services aux passants, tandis que se répandra un épais brouillard suffocant en provenance de la zone industrielle au nord de la ville où sont regroupés la plupart des 130 000 usines et ateliers de la capitale. L'âme du Mexique s'appréhende tout entière dans ce côtoiement de l'ancien et du moderne, de formalisme et de désordre, de richesse et de misère. La parade militaire est une céré-

monie récente, mais l'emblème qui orne le centre du drapeau est le symbole de la civilisation aztèque, que trois cents ans de colonisation espagnole et quatre décennies d'industrialisation dans l'après-guerre ne sont pas parvenus à oblitérer. Véhicules et pollution attestent bien l'entrée du Mexique dans le monde industriel, mais les milliers de sans-abri et les cireurs de chaussures témoignent de son incapacité à assurer le plein emploi.

Le même spectacle se répète dans tout le pays. En d'autres villes, l'architecture coloniale espagnole des églises et des maisons à colonnades s'inscrit sur fond de gratte-ciel étincelants, et les anciennes ruelles pavées débouchent sur de larges boulevards asphaltés. A la campagne, on travaille la terre à l'aide de charrues tirées par des chevaux, mais on verra souvent de jeunes paysans porter des casquettes à visière où s'étale de la publicité pour du matériel agricole d'importation, des T-shirts à l'emblème d'une équipe de base-ball américaine et des montres-bracelet en plastique noir *made in Japan*. Et cependant, la modernité de leur accoutrement ne les détourne pas du pieux accomplissement des rites ancestraux.

Ces contrastes si tangibles au Mexique résultent d'un héritage culturel riche et complexe où se mêlent les racines indiennes et espagnoles. Le pays, qui occupe une superficie de 1 970 000 kilomètres carrés, a fait une entrée tardive dans le monde des innovations sociales et technologiques. Les premières mesures sociales égalitaires ne furent prises qu'à l'aube de la Révolution, qui déchira la nation mexicaine entre 1910 et 1920. Il fallut attendre la Deuxième Guerre mondiale et son cortège de pénuries aux États-Unis et en Europe, qui privèrent du même coup le Mexique de produits d'importation devenus vitaux, pour voir le pays entrer dans une ère d'industrialisation. «Pour la première fois dans notre histoire», écrivait le poète, essayiste et diplomate mexicain Octavio Paz peu après la guerre, «nous sommes contemporains de toute l'humanité.» Depuis, le Mexique s'est efforcé de faire entendre sa voix dans le monde, mais sans sacrifier une identité culturelle profonde dont l'originalité justifie la fierté de son peuple.

Le Mexique est le plus grand de tous les pays hispanophones (ses 71 millions d'ha-

bitants, résultat d'une très forte poussée démographique, le placent loin devant l'Espagne qui n'en compte que 37,7 millions). Les Mexicains cultivés affirment parler le castillan le plus pur de tout l'hémisphère occidental; seuls les Colombiens peuvent rivaliser avec eux dans ce domaine. Mais une fraction de la population parle *pocho*, mot signifiant littéralement décoloré ou fané, un langage populaire dans lequel beaucoup de mots anglais ont été incorporés à l'espagnol en raison de la diffusion massive de films et de programmes de télévision américains, du grand nombre de Mexicains qui travaillent périodiquement aux États-Unis et de la présence permanente de touristes anglophones.

On estime que 3,5 millions de Mexicains

parlent encore nahuatl, la langue des anciens Aztèques, l'un des 55 dialectes indiens encore usités de nos jours.

Outre les différences de langage et les écarts sociaux et économiques, le Mexicain est pétri de contrastes. Vu de l'extérieur, il peut paraître à la fois hautain et obséquieux, courtois et grossier, timide et autoritaire. Mais l'étranger retient de lui le plus souvent un trait particulièrement marquant, son machisme fondamental, du mot *macho* qui signifie au sens strict mâle ou masculin, mais qui en termes culturels est d'une acception beaucoup plus vaste.

«Un mot résume l'agressivité, l'insensibilité, l'invulnérabilité ainsi que les autres attributs du macho», écrit Octavio Paz, «le pouvoir. C'est la force sans la discipline

que procure la plus élémentaire notion d'ordre: le pouvoir arbitraire, la volonté débridée et sans direction établie. L'attribut essentiel du macho — le pouvoir — revient presque toujours à la capacité de blesser, d'humilier, d'anéantir. Instinctivement, le monde qui nous entoure nous apparaît comme dangereux», poursuit Octavio Paz dans ses écrits sur les Mexicains. «Cette réaction s'explique par notre histoire et le type de société que nous avons créé. La dureté et l'hostilité de notre environnement et la menace cachée, indéfinissable, qui toujours flotte dans l'air, nous obligent à nous refermer sur nous-mêmes à l'instar de ces plantes qui survivent grâce au liquide accumulé à l'intérieur de leur enveloppe épineuse.»

La configuration géographique du pays est aussi diversifiée et contrastée que ses habitants. En regardant la carte *(page de garde)*, on a l'impression de voir un assemblage de pièces disparates, comme si des fragments de continents à la dérive s'étaient amalgamés pêle-mêle. Or telle est bien la genèse géologique de cette partie du monde.

Le Mexique se situe à la jonction de trois des plaques tectoniques de la croûte terrestre. La plaque Amérique du Nord, la plaque Caraïbe et la plaque Cocos, que recouvre l'océan Pacifique, sont arrivées *grosso modo* à leur position actuelle voici plusieurs centaines de millions d'années, mais elles n'ont jamais cessé leur mouvance. Depuis des millénaires, leurs bords se heurtent et se chevauchent, engendrant volcans, montagnes et tremblements de terre. La conformation géologique du Mexique, sa végétation et son climat sont le résultat de ce processus.

Cette topographie complexe est difficile à décrire en peu de mots. L'histoire veut qu'Hernán Cortés, interrogé par Charles Quint sur l'aspect du pays qu'il venait de conquérir, ne sut comment répondre: il prit alors une feuille de papier, la froissa et la jeta sur la table devant le roi d'Espagne.

Au fond, le geste de Cortés était bien inspiré. Les seules basses terres que possède le Mexique sont d'étroites bandes disséminées le long des côtes à l'est et à l'ouest et sur le pourtour de la péninsule du Yucatán, éperon calcaire semblable au plancher marin qui l'entoure.

Les deux tiers environ de ce pays presque exclusivement rocailleux et accidenté se situent à plus de 450 mètres au-dessus du niveau de la mer et certains sommets se dressent à 4 500 mètres et plus. La *Mesa Central* — immense plateau montagneux qui prolonge les hautes plaines du Texas et du Nouveau-Mexique au nord et que borde un relief élevé à l'ouest, à l'est et au sud — occupe une part importante de la superficie totale.

La partie nord de la mesa a une altitude d'environ 900 mètres et se compose de larges cuvettes saturées de sel où seule pousse une végétation d'herbacées et de broussailles. Dans le Mexique central, à l'extrémité sud du plateau, s'est implanté le cœur politique, économique et démographique de la nation. Plus élevé (1 500 à 2 500 mètres), cette région est aussi formée de bassins, lesquels sont toutefois moins arides que ceux du nord.

Les montagnes du Mexique comprennent quatre chaînes principales: la Sierra Madre occidentale, la Sierra Madre orientale, la Sierra Madre del Sur et la Sierra Madre de Chiapas. Les deux premières, qui prennent respectivement naissance dans la Sierra Nevada et les montagnes Rocheuses aux États-Unis, sont approximativement parallèles aux côtes ouest et est du Mexique, jusqu'à leur point de convergence dans le Mexique central, où se situe la ville de Mexico. La troisième traverse les États de Guerrero et d'Oaxaca le long de la côte du sud-ouest; quant à la quatrième, elle part de l'État de Chiapas et se prolonge au sud jusqu'au Guatemala.

La région de plus forte activité sismique se situe à la jonction des deux chaînes septentrionales, le long d'une bande orientée est-ouest. Les secousses y sont fréquentes et parfois catastrophiques; à Mexico, en 1957, une série de tremblements de terre fit 60 victimes et causa plus de 25 millions de dollars de dégâts. On construit désormais les édifices imposants sur des piliers de fondation suffisamment flexibles pour résister aux séismes. Mais Mexico n'est pas à l'abri des catastrophes liées aux secousses telluriques; en 1978, un bâtiment de l'université ibéro-américaine s'est effondré, fort heureusement en pleine nuit, alors que personne ne s'y trouvait.

La grande instabilité géologique de la région est imputable à la présence redoutable des plus grands volcans de la planète. Certains d'entre eux, comme le Citlaltépetl (ou pic d'Orizaba), le Popocatépetl, l'Ixtaccíhuatl, le Jorullo et le Colima, entrent périodiquement en activité depuis les temps préhispaniques (en nahuatl *popocatépetl* signifie la montagne qui fume et *ixtaccíhuatl* la femme blanche). Le Paricutín est en quelque sorte un nouveau venu; situé dans le Michoacán, à environ 400 kilomètres au nord-ouest de Mexico, il sortit de terre un beau jour, en 1943, dans un champ de maïs aussi plat qu'une *tortilla*. Une semaine plus tard, le cône brûlant avait atteint une hauteur de 140 mètres; au bout de deux mois, il s'élevait à 300 mètres et finit par se stabiliser à 500 mètres avant d'entrer dans une période de repos après neuf ans d'activité.

En 1982, le Chichón, volcan encore plus actif, fit éruption dans le Chiapas, dégageant un nuage de cendres et de soufre gigantesque qui plongea dans une obscurité de deux jours les villages voisins et, toute une semaine durant, le ciel invariablement bleu de la lointaine Hawaï demeura d'un blanc laiteux.

La topographie et les vents dominants confèrent au Mexique un régime de précipitations particulièrement irrégulier. Plus de 70 pour cent de son territoire se situe dans la zone semi-aride. La pluviosité annuelle y varie considérablement: moins de 8 centimètres dans certaines régions du nord-ouest et plus de 4,40 mètres dans le sud tropical. En gros, 75 pour cent des précipitations ont lieu pendant l'été et l'automne; 65 pour cent de cette masse se perdent par évaporation et l'évapo-trans-

piration normale des plantes. Selon une estimation, la moitié du territoire souffre de la sécheresse, laquelle sévit de façon saisonnière sur 37 pour cent de celui-ci. Il s'ensuit que l'exploitation agricole du pays a représenté de tous temps une gageure.

Néanmoins, dans les régions où les montagnes se divisent en vastes bassins et en vallées, on a constaté la présence d'implantations humaines depuis la préhistoire. Les plus grandes concentrations se sont faites dans les vallées de Morelos, de Puebla, de Mexico, d'Aguascalientes, de Guanajuato, de Jalisco et de Toluca, qui abritent près de 40 pour cent des terres cultivables du pays, plus de la moitié de sa population et cinq grandes métropoles, dont la capitale.

Des groupes d'Indiens de pure race vivent encore isolés dans certaines régions montagneuses. Leur langage diffère souvent d'un village à l'autre, et ils pratiquent un culte où sont mêlés leurs anciens dieux et certains saints du christianisme introduits par le zèle des missionnaires espagnols. Jusqu'à une époque récente, ces agglomérations reculées n'étaient reliées (dans le meilleur des cas) que par des sentiers. Leur isolement, favorisé par la rudesse du terroir, en les protégeant de toute influence européenne, a contribué à la préservation de pratiques traditionnelles autrefois courantes dans les grandes civilisations précolombiennes. Les ruines de temples et de lieux sacrés subsistent en grand nombre. On a recensé environ 10 000 sites archéologiques, dont seuls quelques-uns ont été fouillés: parmi eux, toutefois, Tula, Teotihuacán, Monte Albán, Mitla, Palenque, Chichén Itzá et Uxmal comptent parmi les plus beaux fleurons du patrimoine culturel de la nation. Grâce à ces vestiges les archéologues ont pu reconstituer l'histoire des hommes qui vécurent en ces lieux. Les Aztèques, dont l'empire était immense lorsqu'arrivèrent les conquistadors au XVIᵉ siècle, furent le dernier grand peuple

Ce cavalier, monté sur un *burro*, traverse les dunes d'un plateau érodé par le vent dans le Coahuila. Seuls 4 pour cent de la population vivent dans cet État du nord aux mornes étendues désertiques.

Des cabanes de fortune parsèment les cultures de la vallée de Santiago, dans le Mexique central. La réforme agraire s'est révélée insuffisante pour réaliser l'idéal révolutionnaire de la terre pour tous et, en 1980, plus de la moitié des paysans pauvres occupait ces cahutes et y vivait.

dans la succession des civilisations qui fleurirent au Mexique à partir du XIIe siècle av. J.-C. Leurs réalisations artistiques et leur savoir scientifique et mathématique ont toujours suscité, de la part de leurs héritiers, une sorte d'orgueil national que n'ont pu entamer les vicissitudes de l'Histoire.

L'activité géologique qui détermina le relief et, par voie de conséquence les implantations humaines, fit aussi affleurer des gisements d'argent, de cuivre, d'or, de plomb, de fer, de soufre, de cadmium, de manganèse, de mercure, de tungstène, au total plus de 40 métaux indispensables à la technologie moderne. En outre, les basses terres le long du golfe, périodiquement inondées par la mer, se couvrirent de riches sédiments organiques qui, après plusieurs millions d'années, se transformèrent en combustibles fossiles. En 1982, le Mexique était le quatrième producteur mondial de pétrole avec 72 milliards de barils, et il se plaçait au second rang, derrière l'Arabie Saoudite, pour ses réserves de pétrole et de gaz naturel.

La manne pétrolière, la richesse du soussol et l'expansion industrielle — aciéries, énergie électrique et construction automobile — ont permis au Mexique de se bâtir une économie manufacturière dont le taux de croissance est l'un des plus rapides du monde; au cours des trois années antérieures à la récession mondiale qui entraîna un certain ralentissement au début des années 1980, le taux moyen de croissance de la production industrielle atteignait 8,1 pour cent par an.

Pourtant, le Mexique reste un pays pauvre. Une estimation effectuée en 1981 dévoile que 5 pour cent de ses habitants vivent dans le luxe; 20 à 30 pour cent entrent dans la catégorie des classes moyennes et plus de 60 pour cent ont à peine de quoi subsister. Le sociologue Pablo González Casanova affirme en

Les flèches et la façade de l'église de San Juan Parangaricutiro émergent d'un champ de lave. En 1943, à quatre cents kilomètres au nord-ouest de Mexico, une éruption volcanique dans un champ de maïs a enseveli le reste de la bourgade.

termes non équivoques qu'«il existe une immense majorité de Mexicains qui ne possèdent rien de rien». Ce sont eux qui peuplent les centaines de bidonvilles appelés *ciudades perdidas* (villes perdues) qui prolifèrent au cœur de Mexico et à sa périphérie, ainsi que dans les campagnes, où plus de la moitié de la population s'entasse dans des cabanes d'une seule pièce, sans eau ni installations sanitaires.

Près de 40 pour cent de la main-d'œuvre mexicaine travaille dans le secteur agricole, et l'évolution de la condition paysanne, depuis l'époque précolombienne jusqu'à l'entrée du Mexique dans le monde moderne, fut accompagnée de nombreuses souffrances.

Avant la conquête, les Indiens groupés dans des agglomérations villageoises cultivaient collectivement les terres alentour et se partageaient les récoltes. Bien qu'à l'époque de la domination aztèque ils fus-

sent assujettis au tribut que l'empereur collectait sur leurs produits et, de temps à autre, au prélèvement d'une part supplémentaire destinée aux nobles qui combattaient pour eux, ils jouissaient d'une certaine indépendance et se considéraient comme des hommes libres. A leur arrivée, les Espagnols s'approprièrent leurs terres et les réduisirent à la servitude.

Peu à peu, les conquistadors et leurs descendants s'enrichirent considérablement grâce au produit de leurs immenses domaines. Lors d'un recensement officiel réalisé en 1910 on dénombra 8 245 *haciendas* ou propriétés foncières privées, qui, réunies, couvraient la quasi-totalité des terres cultivables du pays.

Un tel déséquilibre suscita un mécontentement croissant qui aboutit à l'explosion de la Révolution mexicaine (1910-1920) et au complet changement du régime social antérieur. En 1917, alors que les combats faisaient rage, les révolutionnaires

rédigèrent une nouvelle Constitution qui accordait une priorité absolue à la réforme agraire. Le texte proclamait à ce propos la mainmise absolue de l'État sur la terre: «La nation dispose du droit inaliénable de limiter la propriété privée dans tous les cas où l'exige l'intérêt général.» Par la suite, une réglementation limita la dimension des exploitations privées et autorisa les paysans pauvres à se grouper pour revendiquer les terres en jachère afin de les constituer en *ejidos* ou propriétés communales: les critères retenus pour définir la taille des ejidos se fondaient sur le nombre de leurs membres, la qualité du sol ainsi que le type de culture envisagée.

Les pouvoirs publics commençaient par acquérir le terrain moyennant une indemnité versée au propriétaire en argent ou, plus communément, en bons du Trésor; son prix correspondait à la valeur fiscale de la propriété. Chaque ejido, administré par la communauté des exploitants, était

ensuite divisé en parcelles individuelles ou cultivé collectivement. Tout Mexicain pauvre pouvant apporter la preuve de son appartenance au monde agricole avait — et a encore aujourd'hui — le droit de réclamer l'attribution d'un lopin pour nourrir sa famille.

L'application de la Constitution fut un lent et douloureux processus, et il s'écoula près de deux décennies sans que l'on puisse déceler une réelle évolution. Vers le milieu des années 1930 toutefois, on commença à s'atteler sérieusement à la redistribution des terres sous la présidence du général Lázaro Cárdenas qui sut gagner l'estime de ses compatriotes grâce, notamment, à l'originalité de ses méthodes de gouvernement. Il institua la pratique — devenue un rituel désormais établi — de ces tournées présidentielles périodiques à travers le pays où des foules en liesse s'entassent, drapeaux à la main, pour écouter les discours officiels. Dans les villages qu'il visi-

tait, il ordonnait le forage de puits et promettait des terres aux paysans qui se pressaient autour de lui.

Cárdenas tint parole. La redistribution des terres devint le fer de lance de sa politique et, en 1940, au terme de son sextennat, son gouvernement avait libéré près de 20 millions d'hectares dont bénéficièrent, d'une manière ou d'une autre, plus de deux millions de paysans.

Si les expropriations de domaines privés représentaient une mesure moderne, le principe de l'ejido, malgré son nom espagnol, remonte en fait à l'époque préhispanique. Jadis les Indiens cultivaient toute leur vie durant le lopin de terre qui leur avait été attribué, mais les parcelles n'en restaient pas moins la propriété de la communauté. Dans la version moderne de ce système, le paysan peut léguer son ejido à un héritier unique, mais il n'a pas le droit de le morceler au profit de plusieurs de ses enfants, pas plus qu'il n'a le droit de le

LA PÊCHE, UNE RESSOURCE ENCORE PEU EXPLOITÉE

La pêche, l'une des grandes ressources potentielles du Mexique, est insuffisamment exploitée. Les mers qui bordent ses près de 10000 kilomètres de côtes abondent en poissons et en crustacés susceptibles de nourrir sa population, voire de permettre des exportations. Mais la pêche est souvent pratiquée selon des techniques archaïques. Partis de Juchitán, sur le golfe de Tehuantepec, ces pêcheurs zapotèques font une demi-heure de train, puis marchent huit kilomètres jusqu'aux eaux de la Laguna Superior dans lesquelles ils pataugent un ou deux kilomètres avant de jeter leurs filets. La nuit venue, ils ramènent leurs prises au village. Le lendemain, les femmes vendent le poisson au marché; les invendus seront séchés et fumés.

Les pieds dans l'eau jusqu'à mi-mollet, ces pêcheurs jettent leurs filets dans le lac, leurs paniers sur la hanche.

Poissons vidés séchant au soleil sur une claie improvisée — ici un vieux sommier.

Ces deux femmes de pêcheurs nettoient les poissons pendant que les cochons fouillent les déchets tombés à terre.

1

vendre. S'il ne l'exploite pas à des fins agricoles, celui-ci lui est confisqué.

A mesure que la réforme entrait en vigueur, les puits, les charrues, les houes et les divers instruments aratoires qui se trouvaient dans les haciendas devenaient propriété collective, destinés à l'usage communautaire des nouveaux propriétaires terriens — les paysans. Les achats d'engrais, de pesticides et de semences étaient groupés. Le gouvernement de Cárdenas fonda le Banco Nacional de Crédito Ejidal, afin de procurer aux agriculteurs les moyens d'acquérir les fournitures nécessaires, et leur assura également l'assistance d'ingénieurs agronomes.

En somme, la mise en œuvre du programme connut des débuts encourageants. Le cas le plus spectaculaire et le plus réussi d'expropriations sous la présidence de Cárdenas eut lieu dans la région de la Laguna, au centre-nord du Mexique. Plusieurs *hacendados* (propriétaires terriens) y furent en effet dépossédés de quelque 500 000 hectares de plantations de coton déjà modernisées et rationnellement exploitées, que le gouvernement redistribua à plus de 38 000 familles paysannes. L'opération fut menée en quarante jours seulement, et les hacendados n'eurent pas le temps d'opposer une résistance efficace.

Une fois en possession de leurs titres de propriété, les paysans se groupèrent en coopératives et ne tardèrent pas à mener l'exploitation des plantations aussi efficacement que les anciens maîtres. Au cours des trois premières années d'application du programme ejidal, certaines coopératives de la région de la Laguna réalisèrent des bénéfices, et les paysans accrurent leur pouvoir d'achat de 400 pour cent.

Dans l'ensemble du pays d'ailleurs, de 1938 à 1941, le volume de la production agricole dépassa de loin celui enregistré au cours des trente années écoulées depuis le début de la Révolution. Bien que le rythme des distributions de terre se soit ralenti au cours des présidences consécutives, lesquelles concentrèrent leurs efforts sur d'autres secteurs de l'économie, tels que la mise en valeur des ressources minières et l'industrialisation générale du pays, en 1980 la superficie totale de terres distribuées aux paysans couvrait presque 60 millions d'hectares.

Le système du péonage qui prévalait encore au début du siècle était définitivement aboli. Pour la première fois au Mexique, les paysans étaient devenus partie intégrante de l'économie de leur pays et pouvaient espérer voir s'améliorer leurs conditions d'existence.

Inévitablement, bien des attentes furent déçues. La croissance démographique galopante (au rythme de 3 pour cent par an entre 1950 et 1980) et la pesanteur de l'appareil bureaucratique obstruèrent les rouages du programme des ejidos. L'interdiction de partager la terre laissait souvent démunis les rejetons d'une même famille et ceux-ci, parfois au nombre de 5 ou 6, devaient alors refaire une demande pour l'attribution d'une parcelle.

Au début des années 1980, on recensait 3,5 millions de paysans remplissant les conditions légales pour déposer une demande, mais les moyens de l'administration compétente étaient insuffisants pour répartir les terres disponibles. Le ministère de la Réforme agraire, débordé, avait en souffrance près de 200 000 dossiers. Alfredo Figueroa, qui représente 556 familles de l'État d'Oaxaca demandant l'attribution de terres, dit un jour à un journaliste américain: «La route de Mexico, je la connais par cœur! Je suis allé je ne sais combien de fois au ministère! Les bureaux sont toujours pleins à craquer de gens comme moi avec des tas de paperasses et pas un sou d'espoir.»

Ce problème s'ajoute à d'autres encore insolubles. Depuis le début de la réforme agraire, nombre de gros propriétaires terriens, pour échapper à l'expropriation, ont morcelé leurs domaines en parcelles d'une superficie inférieure au maximum autorisé pour les propriétés privées, les ont réparties entre les membres de leur famille et ont poursuivi leur exploitation comme par le passé. Comme les hacendados ont souvent, eux aussi, de nombreux enfants, ils tenaient là un moyen commode de conserver leur emprise sur de vastes domaines. Dans l'État de Sinaloa par exemple, un propriétaire du nom d'Alejandro Canelos dirige une ferme de 700 hectares répartis entre sept membres de sa famille. «Nous sommes en règle», a-t-il déclaré à un journaliste américain. «Sur l'exploitation, il n'y a pas de séparation entre les propriétés; mais elles sont distinctes sur le cadastre.»

Le cas d'un propriétaire de l'État de Jalisco est encore plus remarquable: il possède quelque 5 000 hectares de pâture et rien de moins que 2 000 têtes de bétail. Avec 63 autres propriétaires, il partage 83 pour cent d'un domaine de 1 100 kilomètres carrés qui fut arpenté en 1978.

De nombreux hacendados se sont arrangés pour tourner la loi à leur avantage tout en donnant l'apparence de s'y conformer à la lettre: mettant à profit les indemnités versées par le gouvernement, ils se sont lancés dans le commerce de semences, d'engrais, de pesticides, d'aliments pour bestiaux et d'équipements agricoles. Dans certains cas les paysans eux-mêmes ont trouvé leur compte à ce négoce, ayant ainsi à portée de la main les fournitures nécessaires à l'exploitation.

Pour nombre de pauvres agriculteurs, l'avenir reste sombre. Bien que les titulaires d'ejidos aient la possibilité théorique d'obtenir des crédits publics, en pratique le Banco Nacional de Crédito Ejidal, submergé de demandes, est loin de pouvoir les satisfaire toutes. La loi interdisant d'utiliser la terre comme garantie, ils ne

Sur les bords du lac de Pátzcuaro, dans le Michoacán, un fermier transporte un chargement de foin sur son char à bœufs. Les villageois, qui plantent toujours à la main le maïs, les haricots et les courges, vont vendre leurs maigres récoltes au marché chaque dimanche.

peuvent s'adresser à d'autres banques. Or il arrive bien souvent que tel hacendado, reconverti dans la vente de fournitures agricoles, applique un taux d'intérêt de 100 pour cent sur un prêt de semences ou que tel usurier exige jusqu'à 50 pour cent de la somme avancée qui lui conférera un droit de préemption sur la récolte dont il fixera alors le prix à sa guise. En désespoir de cause, il arrive souvent que de nombreux titulaires d'ejidos louent leur parcelle à quelque entreprise agro-industrielle et qu'ils travaillent ainsi leur propre terre en tant qu'ouvriers salariés.

L'existence de telles iniquités a donné matière à réflexion aux pouvoirs publics. L'idéal de la juste distribution des terres reste inscrit dans la Constitution et l'État le proclame avec ferveur. Mais on considère en général les grandes exploitations plus rentables que les ejidos, car les gros agriculteurs ont les moyens d'acheter des équipements modernes et des engrais très fécondants. Ils se spécialisent aussi dans la culture de certains produits hautement lucratifs, tels que tomates, concombres, fraises, café et oignons grelot, très demandés sur les marchés étrangers.

Cette situation du monde agricole est indéniable, mais il reste que le Mexique ne produit pas assez pour se nourrir. Les importations alimentaires du début des années 1980 atteignaient en moyenne 10 millions de tonnes par an, dont une bonne proportion de maïs — céréale qui constitue l'aliment de base du pays, et cela depuis une époque bien antérieure à la conquête espagnole. Le dilemme du gouvernement est donc désormais le suivant: encourager les agriculteurs à développer la production des denrées agricoles destinées à l'exportation (qui rapportent de précieuses devises) ou les inciter à cultiver de façon intensive les produits alimentaires destinés à la consommation intérieure.

1

Enfin, la haute productivité de l'agro-industrie étant une réalité objective, le dilemme peut aussi s'énoncer en ces termes: l'État doit-il favoriser les grandes entreprises agricoles modernes indispensables aux pays en développement, c'est-à-dire aider les riches, ou rester fidèle aux idéaux de la Révolution en garantissant sa part de terre à quiconque la demande?

«Les Mexicains pensaient que tous leurs maux finiraient s'ils possédaient simplement un bon hectare de terre et une vache», a dit Paul LaMartine Yates, spécialiste anglais de l'économie agraire et des questions mexicaines. Mais sur les trois millions de familles qui, depuis la mise en place des nouvelles lois agraires jusqu'au début des années 1980, avaient reçu des ejidos, on a évalué à 400 000 seulement le nombre de celles ayant enregistré une amélioration réelle de leur niveau de vie.

Le paysan mexicain cultive son ejido à l'aide de la seule main-d'œuvre familiale; un adulte avec une paire de chevaux et l'assistance d'un enfant peut tout au plus travailler quatre hectares, à peine de quoi nourrir les siens. La charrue qu'il utilise s'apparente toujours à celle, de type méditerranéen, avec un soc en bois, introduite par les Espagnols. Pour toute amélioration on a doté le soc d'une armature métallique plus résistante dans les sols rocailleux. L'origine des plantes qu'il cultive est encore plus ancienne: bien avant la conquête, les Indiens avaient déjà domestiqué — et sacralisé — les haricots, les courges et par-dessus tout le maïs.

A présent, les travaux et les jours sont très semblables d'un *rancho* (petite ferme) à l'autre. Après les tortillas fourrées de haricots, arrosées de café noir sucré, prises à l'aube, les hommes vont aux champs. Certains rentrent déjeuner chez eux; la plupart font une pause sur place où les femmes leur ont apporté à manger. Dans les deux cas, le menu comportera sans

doute à nouveau haricots et tortillas, parfois accompagnés de viande, d'oignons, de tomates, d'ail et de piment. De retour à la maison, on soupera peut-être d'un gruau de maïs ou souvent encore de tortillas.

La préparation des tortillas est la tâche des femmes. Certaines les achètent toutes faites au village et les font réchauffer avant de les servir, mais l'épouse respectueuse des traditions ancestrales les fabrique elle-même. Le soir, elle met le maïs à tremper dans une eau légèrement additionnée de chaux vive; à la douce chaleur de la cuisine, les grains gonflent pendant la nuit. Dès cinq heures du matin, le lendemain, elle porte le maïs trempé au moulin. Avec la pâte obtenue, elle façonne de fines galettes rondes qu'elle fait cuire sur une plaque de terre à feu. En une heure, elle en aura préparé une bonne soixantaine, c'est-à-dire la ration quotidienne d'une famille composée de cinq personnes.

Le maïs dont on fait les tortillas a été depuis la préhistoire à la fois une bénédiction et un frein dans le développement du Mexique. On peut le créditer d'avoir favorisé l'éclosion et l'épanouissement des civilisations préhispaniques, mais en même temps il a détourné un trop grand nombre de Mexicains de tout autre type de culture. L'anthropologue défunt Alfredo Barrera Vázquez a rapporté l'anecdote suivante. Il quitta un jour Mérida, dans le Yucatán, pour aller visiter un site archéologique nouvellement découvert dans l'État voisin de Campeche. Faisant halte chez des paysans, il pria la maîtresse du logis de lui préparer un repas, ajoutant qu'il paierait volontiers son écot.

«Désolé, señor», répondit-elle, «mais il n'y a rien à manger ici.»

«Allons», dit alors l'anthropologue, «vous avez une vache — vous devez avoir du lait et du beurre, peut-être aussi du fromage? Et ces poules — elles donnent certainement des œufs? Et dans votre jar-

Récolte d'agaves *tequileros*, dont la souche charnue, une fois cuite et écrasée, sera mise à fermenter puis distillée pour obtenir la tequila, l'incendiaire alcool national. Les feuilles gorgées d'eau de ce cactus lui permettent de pousser dans la terre ingrate du Mexique.

29

din, vous avez bien des haricots là-bas?»

«C'est vrai», dit-elle, «mais il n'y a pas de vraie nourriture. Les *bichos* (insectes) et la *sequía* (sécheresse) ont détruit notre récolte de maïs et nous mourons de faim.»

Comme le fait observer le spécialiste de l'économie agraire Edmundo Flores, le maïs est pour les Mexicains «un besoin élémentaire, un obsession diététique et un cauchemar pour le ministre de l'Agriculture». Étant donné que leur alimentation quotidienne repose dans une trop large mesure sur cette céréale et que le pays n'en produit pas assez, on estime à 18 pour cent seulement — selon les critères officiels — la proportion de la population convenablement nourrie.

Un chercheur, ayant comparé la fiche anthropométrique des habitants de l'État d'Oaxaca à celle des squelettes trouvés dans les anciennes tombes de la région, en conclut que les populations actuelles ne s'alimentent pas mieux que leurs ancêtres il y a mille ans. Une autre étude, réalisée en 1972, révèle que 33 pour cent des Mexicains boivent rarement du lait en quantité suffisante et que 6 pour cent n'en ont pratiquement jamais bu de leur vie.

On distingue aujourd'hui deux catégories de paysans au Mexique: ceux qui se résignent à leur sort et ceux qui luttent pour y échapper. Dans le Coahuila, près du Rio Bravo, Urbano Rosales, homme vigoureux d'un certain âge, a vécu pendant 25 ans de la cueillette de la *lechuguilla*, variété de chardon comestible du désert. Quatorze heures de travail quotidien lui permettent de gagner juste assez pour procurer à sa famille la ration quotidienne de tortillas et de haricots. Interrogée par un spécialiste en sciences politiques sur les raisons pour lesquelles son époux ne cherchait pas ailleurs un travail moins pénible et mieux rémunéré, Ofelia, sa femme et la mère de ses dix enfants, répondit: «La terre lui

Tortilla garnie de piments, de fromage et de tomates.

Lorsque les Espagnols arrivèrent au Mexique, ils découvrirent tout un monde de saveurs nouvelles. Certains aliments les rebutèrent — chien, triton au piment jaune, fourmis ailées, œufs de mouches aquatiques et algues séchées que les guerriers aztèques emportaient en campagne. Et, bien qu'ils se soient régalés du chocolat que préparaient les Indiens, ils appréciaient peu le cacao relevé de piment fort.

Les conquistadors ne tardèrent pas à exporter et à diffuser les produits qu'ils aimaient, notamment la dinde et deux aliments de base — les haricots et le maïs.

L'adoption du maïs dans l'alimentation des peuples déshérités du monde entier ne fut pas vraiment une bénédiction. Les hommes qui se nourrirent exclusivement de cette céréale contractèrent la pellagre et moururent par milliers. C'est au XXe siècle seulement que la science a découvert la corrélation entre cette maladie et le maïs, dont le corps humain ne peut digérer la niacine qu'il contient. La raison pour laquelle les Indiens, dont l'ordinaire se composait presque exclusivement de tortillas de maïs, ne présentaient aucun symptôme de ce mal, tient à leur méthode de préparation. Afin de ramollir les grains de maïs, ils les faisaient tremper dans une eau additionnée de chaux, laquelle rend digeste la niacine et permet ainsi à l'organisme d'assimiler cette importante vitamine B.

colle aux pieds.» Urbano lui-même eut cette réponse: «Patience. Cette année il pleuvra et nous ne serons plus pauvres.»

Cet optimisme à tout crin est très répandu. «En passant sur les autoroutes, on voit des groupes de paysans agenouillés dans les champs autour de statues de la Vierge, priant désespérément pour qu'il pleuve», raconte à un journaliste étranger le gouverneur de l'État de Tlaxcala situé à l'est de Mexico. «Il n'a plu ni l'année dernière ni cette année. S'il ne pleut pas avant la mi-juin, les récoltes seront perdues, car le maïs planté après cette date gèle en automne avant de mûrir. Alors les paysans vont à la ville.»

Les Mexicains cyniques utilisent une vieille expression — *Salsipuedes* — que traduit à peu près Sauve-qui-peut! en manière de défi. Et c'est exactement ce qu'il sont de plus en plus nombreux à faire. Certains parviennent à gagner les États-Unis où les salaires et le niveau de vie plus élevés agissent comme une pompe économique aspirante. En 1979, un paysan du nom de José López répondit à un journaliste: «Jamais on ne touche ici ce qu'on gagne aux États-Unis.» Cette année-là, à Tijuana, sur la côte Pacifique, le salaire minimum était de 7,13 dollars par jour, alors qu'en Californie, de l'autre côté de la frontière, il se montait à 23,20 dollars.

A salaires plus élevés, nouvelles exigences de confort — mais celles-ci sont difficiles à satisfaire dans le Mexique rural. «A Los Angeles, j'ai acheté une belle voiture pour 940 dollars», confia à un correspondant américain un jeune Mexicain à cheveux longs qui faisait illégalement la navette entre la ville californienne et son village. «Ici, c'est impossible d'avoir une voiture. On voyage en autocar ou à pied. Là-bas, j'ai le chauffage, l'air conditionné, le téléphone. Au village, il n'y a qu'un seul téléphone, celui de l'école, et il est cassé depuis trois ou quatre ans.»

Le quota annuel d'immigration des Mexicains aux États-Unis est fixé à 20 000 personnes. Personne ne sait exactement combien franchissent illégalement la frontière, mais selon les services de recensement américains 3,5 à 6 millions de Mexicains vivent aux États-Unis sans papiers en règle. Certains, ayant pu réunir 400 dollars, s'arrangent avec un *coyote*, ou passeur, censé leur faciliter l'entrée; ils voyagent en camions bâchés, entassés comme des poulets, d'où le nom de *pollos* dont on les désigne. D'autres, plus indigents faute

de pouvoir payer un coyote, tentent de passer loin des zones de surveillance. Ils sont souvent arrêtés par les gardes-frontières qui leur font rebrousser chemin — mais ils récidivent et finissent parfois, après plusieurs tentatives, par réussir.

Les migrants ne franchissent pas tous la frontière. Certains vont à Coatzacoalcos et à Villahermosa, sur la côte du golfe, où la Compagnie nationale des pétroles mexicains — la Pemex — offre sur les champs pétrolifères des emplois de manœuvres, de camionneurs ou de gardiens. D'autres

se rendent à Ciudad Juárez, à Nogales, à Nuevo Laredo et à Tijuana, villes frontalières où des industries étrangères se sont implantées pour profiter de la main-d'œuvre bon marché. D'autres encore vont tenter leur chance dans les luxueuses villes de plaisance au bord de la mer comme Acapulco et Cancún; au début des années 1980, le secteur du tourisme employait 650 000 Mexicains.

Mais le principal pôle d'attraction reste Mexico, la capitale. De 1970 à 1980, quelque six millions d'hommes, âgés de 15 à 30 ans, y ont afflué, à raison de 1 370 en moyenne par jour. Un petit nombre d'entre eux parviennent à s'employer comme ouvriers non qualifiés, en général sur les chantiers de construction. Mais les autres, en nombre incalculable, viennent grossir les rangs des sans-emploi. Cette réalité pose aux édiles de la cité comme au gouvernement fédéral des problèmes pratiquement insolubles. «Toute négligence de notre part», déclarait en 1983 le président Miguel de La Madrid, «peut convertir Mexico en une ville invivable.»

Alignement de silos coniques près de Puebla, à cent kilomètres au sud-est de Mexico. Tous les silos sont entretenus par les pouvoirs publics qui viennent en aide aux agriculteurs en achetant et en entreposant leurs récoltes de céréales.

UNE FERME MODÈLE

Dans les hautes terres arides du Querétaro, à quelque 180 kilomètres au nord-ouest de Mexico, se trouve une ferme exemplaire. Jorge Roiz, le deuxième d'une famille de neuf enfants, s'occupe pour son père d'un troupeau de 1 500 vaches laitières. Depuis dix ans qu'il exerce cette responsabilité, il a porté la production de lait à environ 20 000 litres par jour et fait désormais partie des dix plus grands producteurs du pays. Parallèlement, il élève des taureaux pour les corridas. Au volant de son camion, Jorge se déplace constamment tout en restant en contact radio avec ses employés. Sa réussite lui permet de s'équiper des installations les plus modernes en matière d'élevage — ce qui n'est généralement pas à la portée des petits agriculteurs.

L'agronomie moderne ne semble toutefois pas avoir empiété sur certaines traditions mexicaines. L'épouse de Jorge, Luz María Amieva de Roiz, reste à la maison pour élever leur fils de trois ans, Jorgito; et ses parents, eux aussi de riches éleveurs, habitent non loin, de sorte que l'ensemble de la famille entretient des relations étroites.

Son fils Jorgito dans les bras, son épouse Luz à côté de lui, et un berger allemand à ses pieds, l'éleveur Jorge Roiz pose devant sa maison de pierre.

Jorge inspecte ses bêtes parquées dans des corrals, pour les empêcher de paître. Nourries de céréales, elles donnent 20 000 litres de lait par jour.

Jorge prend note des problèmes que lui soumettent les petits agriculteurs des environs.

Jorge prête main-forte à un ouvrier qui aide une vache à vêler.

La vache lèche son veau nouveau-né.

Un apprenti matador teste à la cape le tempérament d'une génisse. Si elle se révèle suffisamment agressive, elle sera isolée des vaches laitières et réservée à la reproduction des taureaux de corrida.

José Calzada, *novillero* (apprenti matador), déploie sa cape rouge. Les aspirants toréadors viennent souvent se faire la main sur les génisses dans la propriété que gère Jorge Roiz pour son père.

José agite sa cape, attire la génisse et esquive adroitement sa charge. A la fin de l'exercice, le toréador rendra compte à Jorge des réactions de la bête.

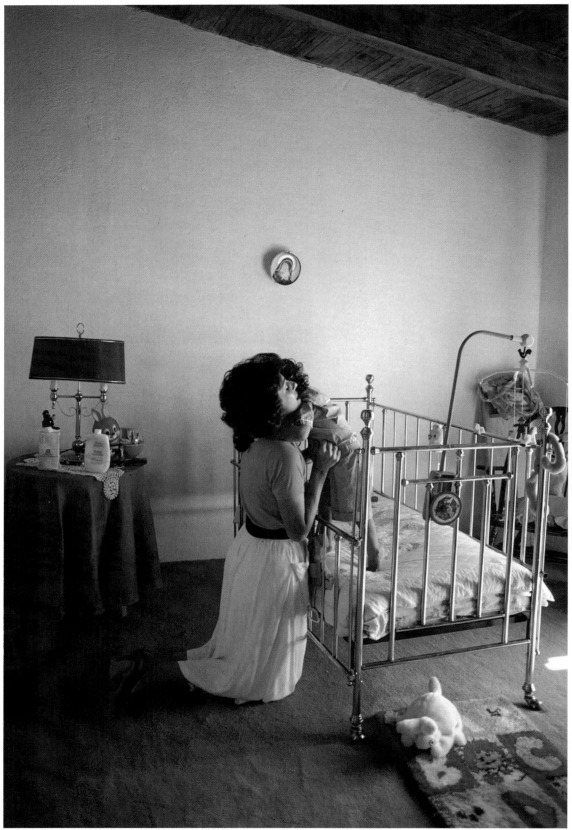

Luz prend tendrement Jorgito dans ses bras au réveil de sa sieste.

Dans une baignoire où il peut entasser
ses nombreux jouets, Jorgito se fait
laver les cheveux par sa mère.

Dans la vaste salle de séjour où le
mobilier ancien côtoie le moderne,
Jorgito joue au volant de sa petite voiture
en forme de chaussure de sport.

Remigio Amieva Noriega, le père de Luz,
montre à son petit-fils deux des cent
chevaux de course de son écurie.

Luz, attablée avec son époux, sa mère,
son père, son frère et un invité, déjeune
chez ses parents. Voisines, les deux
familles mangent souvent ensemble.

Par une journée sans trop de pollution
dans l'air, on aperçoit le sommet enneigé
du Popocatépetl (la montagne fumante)
(5452 mètres). Peuplée de 17,5 millions
d'habitants, la métropole tentaculaire,
qui s'étend à ses pieds sur près de
1500 kilomètres carrés, connaît le plus
fort taux de croissance du monde.

UNE VILLE AUX PORTES DE L'ENFER

Un journaliste anglais a écrit à propos de la capitale du Mexique: «Si tous les jours pouvaient être dimanche, Mexico serait la ville la plus agréable du monde.» Il avait observé en effet que la pause dominicale rendait ses habitants oublieux de leurs soucis de la semaine et les changeait en «un peuple souriant et détendu de campagnards» allant paisiblement pique-niquer en famille au parc de Chapultepec — 400 hectares d'un superbe îlot de verdure en pleine ville —, ou s'adonnant au plaisir des longs marchandages bon enfant avec les brocanteurs des marchés aux puces. Certains quartiers ordinairement engorgés prennent un air de fête où résonnent les cris des marchands de *tacos* (sandwichs) et de tortillas et les accents éclatants de quelques-unes des 6 000 formations de musiciens que compte la ville.

Dans ses meilleurs jours, Mexico est une métropole enchanteresse; c'est la plus ancienne grande ville des Amériques. Les Espagnols y bâtirent la première église catholique, la première bibliothèque, la première université du continent, et les édifices vénérables y sont encore légion; certains remontent à la conquête du Mexique (1521), et les vestiges de la capitale aztèque, fondée deux siècles auparavant, y affleurent en maints endroits.

Mexico n'est pas seulement la capitale politique du Mexique, mais aussi son centre artistique, culturel et intellectuel. On y trouve la plupart des maisons d'édition mexicaines et des studios cinématographiques du pays. Il s'y publie 20 quotidiens et quelque 235 revues de toutes tendances politiques et artistiques. Les programmes de télévision offrent au public un ensemble d'émissions dont la diversité et l'esprit d'invention laissent pantois. Les innombrables galeries de peinture et de sculpture contemporaines témoignent en outre du goût des Mexicains pour toutes les formes d'expression artistique.

Les gens eux-mêmes sont vifs, hauts en couleur, aboutissement harmonieux du métissage hispano-indien. Voici un noble profil où l'on reconnaît les traits d'une effigie aztèque ou toltèque. Ou ce visage délicat aux pommettes saillantes qu'on jurerait tiré d'un tableau du Gréco ou de Velásquez. La gamme des carnations va de la pâleur espagnole au cuivré indien. Le visage tanné des vieillards est parfois empreint d'une sculpturale dignité et il est peu d'endroits au monde où les enfants vous fixent de leurs yeux sombres avec un air plus angélique.

Les Mexicains sont un peuple de bons vivants qui consacrent autant d'énergie aux loisirs qu'au travail et vont volontiers s'agglutiner sur les gradins de la «Plaza de Mexico» — la plus grande arène tauromachique du monde avec ses 60 000 places — , ou sur ceux de quelque stade pour vociférer leur enthousiasme lors de matches de football, de corridas, de *jai alai* (jeu de pelote), de courses de chevaux, de rodéos à la mexicaine ou de rencontres de *beisbol* à l'américaine. Et ils se pressent aussi en foule dans la multitude de restaurants où l'on peut arroser de bières locales, qui comptent parmi les meilleures du monde, des préparations culinaires originales, allant de la purée de haricots frite à des mets de choix comme le *huitlacoche*, champignon parasite du maïs — le tout relevé d'une des 140 variétés de piments.

La ville s'enorgueillit de nombreux et splendides édifices modernes et de deux grandes artères qui n'ont rien à envier à celles de Paris ou de Madrid. L'Avenida de los Insurgentes, baptisée à la mémoire des patriotes qui secouèrent le joug espagnol au début du XIXᵉ siècle, s'étire sur plus de 22 kilomètres. Le Paseo de la Reforma, qui commémore les réformes libérales de la fin du XIXᵉ siècle, plus large que les grands boulevards parisiens dont il s'inspire, est bordé d'élégantes boutiques. L'enclave des *Lomas* (collines) *de Chapultepec* abrite de somptueuses résidences, tandis que le quartier de San Angel foisonne de demeures coloniales.

Le climat lui aussi est agréable. Bien que Mexico soit situé sous les tropiques, son altitude de 2277 mètres préserve ses habitants d'une chaleur ou d'une humidité excessives. Sa température moyenne annuelle de 18 degrés centigrades varie peu entre l'hiver et l'été.

Aujourd'hui, toutefois, Mexico ne se distingue pas tant par son ancienneté, sa beauté, son climat ou son peuple que par sa taille. Sa conurbation, c'est-à-dire la ville proprement dite et sa proliférante banlieue qui s'étale sur les 445 kilomètres carrés du District Fédéral, a le taux de croissance le plus élevé du monde et, à l'exception de Tokyo, c'est la plus vaste agglomération de la planète. Au début des années 1980, Mexico comptait 17,5 millions d'habitants. Si la ville continue de croître au rythme des années 1970, sa population atteindra 32 millions en l'an 2000, chiffre supérieur à l'estimation du nombre des habitants, à la même époque, de Paris, Londres et Moscou réunis.

C'est cette immense et vibrante masse humaine qui confère aux dimanches ce

Du haut de sa colonne, la Victoire ailée (*El Angel*) contemple le Paseo de la Reforma. Elle symbolise la liberté conquise sur les Espagnols après la guerre d'Indépendance (1810-1821). Ce monument, inauguré en 1910, se renversa lors d'un tremblement de terre en 1957 et fut redressé peu après.

caractère souriant si particulier. Les autres jours de la semaine, les habitants doivent affronter les inextricables embouteillages et la foule compacte des trottoirs et du métro. Si, comme on le prédit, la ville poursuit sa croissance, ces conditions cauchemardesques ne feront qu'empirer. Mexico est situé dans une cuvette entourée de montagnes et, bien que sa superficie soit déjà de 1500 kilomètres carrés, la ville ne peut guère s'étendre plus.

D'autres facteurs contribuent à aggraver la situation. Deux tiers de ses habitants sont des pauvres dont bon nombre vivent dans une grande misère; leurs bidonvilles sont si vastes que Mexico détient le triste privilège d'abriter les plus immenses taudis du monde. Un autre record, le plus redoutable, encore homologué par la ville est qu'on y respire l'air le plus pollué de la planète. Bref, Mexico traverse une crise, du type de celle qui guette de nombreuses métropoles d'ici à la fin du siècle.

Les sociologues, les écologistes et les urbanistes du monde entier observent attentivement l'évolution de Mexico, à la fois inquiets sur ses chances de survie et sur l'efficacité des mesures prises pour résoudre ses problèmes. Entre-temps, malgré son charme très réel, il devient de plus en plus difficile d'y vivre. «Non que nous ayons été chassés du paradis», fait remarquer Fernando Benitez, «c'est plutôt nous qui avons chassé le paradis.»

On peut faire remonter en partie la surpopulation de Mexico à certains moments troublés de son histoire. Pendant la Révolution de 1910-1920, environ 1,2 million de ruraux ont fui la campagne ravagée par la guerre pour chercher la sécurité des villes et un tiers d'entre eux ont échoué dans la capitale. Il y eut un second afflux dans les années 1930, lors de la réforme agraire et des redistributions de la terre aux paysans. De nombreux *peones* (ouvriers agricoles) ne purent recevoir de terres en raison de l'insuffisance de parcelles, et des milliers d'entre eux émigrèrent vers les villes. Tel fut le destin de beaucoup d'autres *campesinos* (paysans), soudain délivrés de la servitude presque totale qu'ils subissaient dans les haciendas et désireux de changer de mode de vie. Le flot d'immigrants, ininterrompu depuis lors, est devenu à présent un véritable raz de marée.

Outre ses autres attraits, Mexico offrait autrefois aux immigrants un grand nombre d'emplois et des meilleurs. Le gouvernement fédéral fait travailler à lui seul 1,5 million de personnes et la capitale centralise le gros de l'industrie mexicaine. A certains égards ce choix n'avait rien d'illogique, en dépit des distances qui séparent Mexico des installations portuaires des côtes pacifique et atlantique — environ 300 kilomètres. Quand le pays commença à s'industrialiser, dans les années 1940, la capitale constituait déjà le cœur des réseaux routier et ferroviaire, et le centre bancaire du pays. (Aujourd'hui sept transactions monétaires sur dix s'y effectuent.)

Ainsi la création de nouvelles industries, génératrices d'emplois, attirait à la ville un nombre croissant de paysans. L'expansion de la réserve de main-d'œuvre suscitait à son tour la naissance d'entreprises. Les gouvernements successifs, tout pénétrés de l'idée du plein emploi, encourageaient la prolifération d'usines crachant des torrents de fumée, et accordaient aux entrepreneurs des dérogations sur les réglementations antipollution — par ailleurs rigoureuses au Mexique. Au début des années 1980, plus de 50 pour cent de l'industrie nationale se trouvaient concentrés à Mexico.

Or, même dans les périodes de prospérité, les offres d'emploi ont toujours été inférieures à la demande. Et les villageois n'en continuaient pas moins d'émigrer obstinément. Quelle que fût leur déception devant la rareté de l'embauche, de nombreux campesinos préféraient subsister

Les monuments de la place des Trois Cultures, ici brillamment éclairée, résument l'histoire du Mexique : les ruines de la pyramide aztèque de Tlatelolco, la façade de l'église coloniale de Santiago et les grands ensembles modernes. Ici eut lieu l'ultime bataille entre les Espagnols et les Aztèques.

pauvrement dans les bidonvilles plutôt que de s'échiner sur un sol pierreux et souvent desséché pour finalement recueillir de maigres récoltes.

La surpopulation de Mexico s'explique aussi par le taux élevé de la natalité et par l'abaissement de la mortalité. Mais la principale raison de la vertigineuse croissance de la ville reste l'arrivée de millions de paysans fuyant les zones rurales.

La population étant bien supérieure au nombre d'emplois disponibles, le chômage a grimpé en flèche et l'expansion des bidonvilles est devenue incontrôlable. Selon des estimations récentes, un tiers de la main-d'œuvre de la ville est inemployée ou sous-employée. Et les salaires que touchent les détenteurs d'un emploi fixe sont souvent désespérément bas. Un travailleur à la chaîne débutant gagne 680 pesos par jour (environ 35 F). Pas plus que les chômeurs, ces ouvriers ne peuvent payer les loyers élevés des appartements modernes. Eux aussi doivent habiter ces bidonvilles qui n'en finissent pas de s'étendre.

Ces immenses quartiers misérables, objet d'étude fascinant, ont attiré les anthropologues du monde entier. Ils semblent animés d'une vie propre qui les fait croître et se développer selon des lois bien particulières. On recense approximativement 500 bidonvilles grands et petits autour de la ville plus quelques autres répartis dans le centre. Parmi ceux de la périphérie, il en est de si anciennement implantés et si bien aménagés qu'on oserait à peine les qualifier de bidonvilles. Tous cependant portent le nom sinistre de *ciudades perdidas* (villes perdues). Et tous, à la mesure du poids de misère que peut supporter le peuple mexicain, sont aussi à la mesure de son ingéniosité.

Le plus grand d'entre eux, l'un des plus anciens quartiers ouvriers des confins du District Fédéral, se nomme *Ciudad Nezahualcóyotl*, la Ville du Coyote affamé. Neza,

2

comme on l'appelle, avec ses 3 millions d'habitants à présent, est le plus vaste de tous les bidonvilles de la planète.

Il occupe une zone de 120 kilomètres carrés sur le fond d'un ancien lac salé. Les jours de vent, la poussière soulevée pique les yeux et dessèche la gorge.

Les plus anciens secteurs de Neza possèdent toutefois des rues principales pavées — bien que les rues adjacentes de terre battue creusées d'ornières soient encore les plus nombreuses —, et bénéficient des services municipaux: adduction d'eau et installations électriques. En effet les résidents, dans un remarquable esprit de solidarité, refusèrent de payer le moindre remboursement de prêt hypothécaire consenti sur le terrain, originellement acheté à des promoteurs peu scrupuleux, jusqu'à ce qu'il fût doté de ces installations élémentaires. Mais la plupart des constructions ne sont, au mieux, que des bicoques de parpaings et de tôle ondulée et, au pire, de frêles abris faits avec du bois de récupération et des bidons aplatis. Les tas d'ordures bourdonnant de mouches obligent les automobilistes qui empruntent ces rues à remonter les vitres de leur véhicule.

Les bidonvilles continuent leur progression. Certains prolifèrent à partir d'implantations existantes. D'autres, surgis du jour au lendemain, sont l'œuvre de familles sans abri, ayant élu domicile sur un terrain inoccupé. Et la capacité de ces pauvres gens de construire en un temps record leurs cabanes de carton, de papier goudronné, de bois et de tout ce qui leur tombe sous la main, leur a valu le surnom de *paracaidistas* (parachutistes).

Les nouveaux arrivants sont souvent dépouillés de leurs pauvres économies par des escrocs qui se targuent d'être les propriétaires du terrain et profitent de leur ignorance pour leur extorquer des loyers. Plus souvent encore, ils subissent la loi de prétendus chefs de bidonvilles ou de la police elle-même, qui les rançonnent sous prétexte de leur offrir «protection».

Mais l'argent qu'ils versent à leurs divers protecteurs ne les met pas à l'abri d'une expulsion légale, du moins jusqu'à récemment. Aujourd'hui, mieux disposées envers eux, les autorités leur accordent même parfois un droit de propriété sur le terrain qu'ils occupent. Peu à peu, comme ce fut le cas pour Neza, la municipalité fait niveler les rues au bulldozer et installer l'eau et l'électricité. En attendant ces améliorations, les squatters aménagent d'ingénieux branchements pirates sur les lignes électriques ou les canalisations d'eau existantes. Cela fait, ils ne peuvent améliorer le confort de leur pauvre logis qu'en l'équipant d'accessoires transportables, comme par exemple une télévision. En effet, avant d'investir dans le toit et les murs, ils préfèrent attendre que les pouvoirs publics aient avalisé leur prétention à devenir propriétaires du terrain.

Mais les plus effroyables bidonvilles de Mexico sont ceux qui ont été construits littéralement au milieu des décharges d'ordures municipales. Les habitants de ces lieux délétères récupèrent les moindres de ces détritus — papier, verre, métal, mobilier cassé —, bref, tout ce qui est susceptible d'être recyclé ou réparé. Environnés de pestilentielles émanations qu'ils ne remarquent même plus, ils élèvent aussi des cochons et des chèvres qui comme eux fouillent inlassablement les immondices où ils trouvent leur subsistance.

La stoïque endurance de cette humanité de rebut n'a d'égale que l'ingéniosité et l'ardeur au travail des habitants du plus confortable des bidonvilles de Mexico: *Belén de las Flores* (Bethléem des Fleurs). Non loin du parc de Chapultepec, sur des terrasses construites à flanc de colline, les habitants de cette communauté ont creusé de douillets abris au seuil desquels ils ont aménagé de petits jardins, reliés par un réseau de rues de terre battue entretenues et ponctuées de services publics.

Troglodytes ou citoyens des décharges, les habitants des bidonvilles s'estiment tous heureux de se trouver à Mexico. «Nous remercions le Seigneur de nous laisser vivre ici», déclarait récemment Esteban Mendez Gonzalez, chauffeur de taxi, en indiquant du menton les sordides taudis du quartier de la Courbe du diable où, dans une baraque en bois et en papier goudronné, il vit avec sa femme et ses six enfants, au milieu de 1 500 autres paracaidistas. Interrogé sur les raisons de sa présence dans ce genre de bidonville, un autre habitant répondit avec franchise: «Simplement par ignorance. Nous sommes venus en croyant que ça allait être le paradis, mais ce n'est vraiment pas ça.» Malgré toutes les difficultés, il n'a pas l'intention de repartir dans son village natal. «A Oaxaca», explique-t-il, «j'allais en classe, mais je n'ai pas appris vraiment à lire ni à écrire. Ici, mes enfants vont à l'école et sont mieux habillés, peut-être qu'ils s'en sortiront mieux.»

L'espoir d'assurer une vie meilleure à leurs enfants donne à de nombreux paracaidistas la force de lutter. A Mexico, l'école publique est en général d'un niveau supérieur à celui des villes de province et en tout cas à celui des écoles rurales, dont les moyens financiers et les effectifs pédagogiques sont insuffisants. Les établissements scolaires de la capitale, mieux nantis, attirent une bonne partie de l'élite de la nation. Les six premières années d'instruction obligatoire sont dispensées dans les écoles primaires, où les élèves apprennent à lire et à écrire et acquièrent des rudiments de géographie, de mathématiques, de sciences naturelles, et de sociologie et d'histoire du Mexique. Ensuite, ceux qui poursuivent leurs études vont dans un établissement secondaire.

Si les paracaidistas de Mexico nourris-

UNE FAMILLE PAUVRE MAIS DIGNE

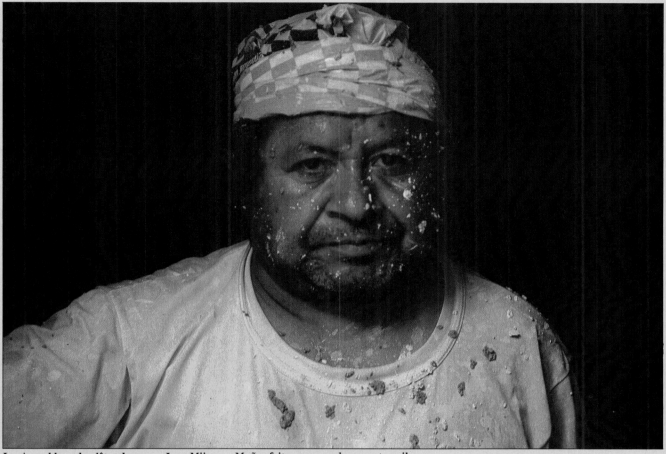

Le visage blanc de plâtre, le maçon Juan Mijangos Muñoz fait une pause dans son travail.

La maison de Juan Mijangos Muñoz est une baraque construite dans une rue jonchée d'ordures de Neza-hualcóyotl, bidonville de trois millions d'habitants à la périphérie de Mexico. Mais il peut en être fier. Il la partage avec sa femme, Agripina, ses quatre garçons, sa mère, ses beaux-parents et quelques locataires. Juan Mijangos, très représentatif de la classe pauvre urbaine, a quitté la campagne en 1948, à l'âge de 9 ans, pour venir à Mexico chez sa tante, et chercher du travail. Il n'est allé qu'un an à l'école et s'est placé comme apprenti chez un maçon. Après

plusieurs années d'un dur labeur, il avait économisé assez d'argent pour s'acheter du matériel de photo et un âne. Il entreprit alors de gagner sa vie dans les quartiers résidentiels en photographiant des enfants juchés sur l'animal. Mais quand les embouteillages de la capitale devinrent insupportables (l'âne finit même par refuser de bouger et on dut le transporter en camion), Mijangos abandonna la photographie et reprit son premier métier de maçon.

Il avait alors acquis une petite parcelle à «Neza», site poussiéreux dans le fond d'un ancien lac salé, si

saturé de sel que la végétation refuse d'y pousser. Ce lieu était entièrement dépourvu de services publics — ni eau, ni électricité, ni ramassage des ordures —, mais beaucoup de gens y affluaient, attirés par les bas prix du terrain.
Juan Mijangos y construisit lui-même une maison d'une pièce, se maria et s'installa. Depuis, il a régulièrement agrandi son logis. La bâtisse, qui comporte à présent deux étages, est toujours inachevée et Neza, qui attend son incorporation au sein de la capitale, est désormais la deuxième ville du pays.

Agripina, l'épouse de Mijangos, sert un
ragoût à son mari et à ses enfants pendant
que le téléviseur transmet une image
tremblotante. Selon la coutume, ils
n'utilisent ni couteaux ni fourchettes,
mais placent la nourriture recueillie
dans une tortilla qu'ils enroulent.

L'un des garçons fait les lits dans la chambre à coucher familiale.

Mijangos monte sur le toit où sont installés les sanitaires et la cuisine.

La mère de Mijangos vit dans cette pièce qui contient son lit, un coin cuisine et l'autel où elle prie quotidiennement.

Assis à l'entrée de la chambre qu'ils occupent sur le toit, la belle-mère et le beau-père de Mijangos brodent des nappes destinées aux touristes. Ils sont arrivés à Nezahualcóyotl lorsque la santé du mari a nécessité des soins médicaux et vivent, depuis, de travaux d'aiguille.

La mère de Mijangos prépare le repas sur un petit réchaud à pétrole. Comme sa fille habite à côté, elle reçoit souvent la visite de ses petits-enfants, et ainsi ne manque jamais de compagnie.

A l'occasion de l'anniversaire d'un des
fils, la famille a décidé d'aller à la foire,
dont on aperçoit au loin la grande roue.
Mais leurs moyens ne leur permettent
guère souvent ce genre de sortie.

sent maints espoirs pour l'avenir de leurs enfants, ils n'en connaissent pas moins des conditions d'existence extrêmement pénibles, souvent désespérantes. Ceux qui, trop âgés ou trop peu qualifiés, ne peuvent décrocher le moindre emploi sont réduits à végéter misérablement. Antonia Recindes, qui a passé 50 ans de sa vie à Tlanepaltla, bourgade jadis rurale mais absorbée depuis par la capitale, doit sa survie aux maigres ressources qu'elle a toujours su tirer de son environnement. « Tant qu'ils n'augmentent pas le prix des tortillas », soupire-t-elle, « et tant qu'on pourra les remplir de *nopales* (variété de cactus comestible qui pousse en abondance autour de Mexico) ou d'autres légumes sauvages ou de n'importe quoi, ça ira. »

Pour gagner quelque argent, les habitants des ciudades perdidas exercent toutes sortes de petits métiers. Certains trouvent des emplois à temps partiel de jardiniers pour entretenir les terrains entourés de hautes murailles dissimulant les riches villas des Lomas ou d'hommes à tout faire dans les banlieues résidentielles ; les femmes, le plus souvent, sont employées de maison. Une foule de colporteurs sur les trottoirs vendent des fruits, des cacahuètes, des poupées artisanales ou de menues breloques. D'autres sont porteurs à l'aéroport ou laveurs de voitures. Quelques femmes enfin mendient ou se prostituent.

Un bon nombre de travailleurs manuels sans emploi se rassemblent chaque jour devant la magnifique cathédrale de Mexico pour offrir aux passants leurs diverses compétences. Jusqu'à la flambée des prix et l'aggravation du chômage dues à la crise économique du début des années 1980, il était assez facile de trouver de petits emplois. « La crise a tout changé », se désespère l'un d'eux. « Il y a quelques années, je venais ici à 8 heures du matin et je trouvais tout de suite quelqu'un à qui louer mes services. Jamais la vie

n'a été aussi difficile qu'aujourd'hui. »

Il n'existe qu'un seul organisme d'État pour venir en aide aux chômeurs, le Fonds d'assistance publique, qu'alimente la faible taxe prélevée par le gouvernement sur la vente des billets de la loterie nationale. Ce fonds fournit le gîte et quelque nourriture aux cas les plus désespérés, mais il reste encore insuffisant pour soulager toutes les misères.

Cette timide initiative des pouvoirs publics est relayée par plusieurs institutions privées dirigées, pour certaines, par des organismes confessionnels et, pour d'autres, par d'altruistes épouses de ministres. La plus importante est traditionnellement subventionnée par le président de la République ; elle finance des hôpitaux, des crèches et apporte quelque secours aux sans-abri. Le système mexicain de sécurité sociale profite malheureusement fort peu aux miséreux car il faut, pour pouvoir bénéficier des prestations médicales, avoir exercé un emploi pendant un certain temps, ce qui est rarement le cas.

Dans la masse des nouveaux venus à Mexico, peu nombreux sont ceux qui parviennent à s'extraire des bidonvilles et à se hisser aux niveaux les plus modestes de la classe moyenne lorsqu'ils décrochent un emploi à plein temps comme artisan ou employé de bureau dans les services publics ou dans l'industrie. La classe moyenne de Mexico, d'ores et déjà nombreuse, ne cesse de croître. A l'intérieur de cette classe, boutiquiers et employés de bureau occupent le bas de l'échelle et les professions libérales, les avocats et les médecins, le haut. En général, tous partagent les difficultés et les aspirations des classes moyennes du monde entier, mais en l'occurrence, les différences de revenus et de train de vie entre le bas et le haut de l'échelle sont plus marquées que dans les économies plus développées.

Les conditions d'existence des plus

modestes sont parfois aussi difficiles que celles des pauvres. Ils vivent dans des appartements exigus qu'ils partagent parfois avec des parents, utilisent un minimum de biens de consommation, voyagent par les transports en commun et limitent leurs excursions de vacances aux parcs publics. S'ils connaissent rarement la faim, ils ne se permettent pour ainsi dire jamais de manger au restaurant. Leurs sources de revenus sont ordinairement précaires et toute dépense imprévue peut faire figure de désastre. « Ces gens-là me préoccupent vraiment », rapporte un homme d'affaires américain de Mexico. « Prenez notre employé de bureau, il n'a d'autre costume que celui qu'il porte, peut-être une chemise de rechange, trois enfants à nourrir et il est constamment sur la corde raide. »

Si la chance leur sourit, certains parviennent à la très relative aisance qui consiste à pouvoir s'acheter une petite voiture d'occasion, habiter un deux-trois pièces, avoir une femme de ménage et s'offrir parfois un voyage hors de la ville. A force de privations et d'économies, peut-être seront-ils en mesure d'inscrire leurs enfants dans l'une des excellentes écoles privées de la ville où l'obtention d'un diplôme peut servir de tremplin vers les couches supérieures de la classe moyenne.

Dans de nombreuses familles, l'homme et la femme conjuguent leurs deux salaires. Il y a à Mexico deux fois plus de femmes au travail que partout ailleurs dans le pays — phénomène remarquable en Amérique latine. Les plus âgées occupent le plus souvent des emplois modestes, en règle générale dans le commerce. Les femmes jeunes, en général plus libres et mieux instruites, deviennent souvent secrétaires dans de grandes entreprises. Mais rares sont celles qui parviennent à exercer une profession libérale.

Voici une famille très représentative de la classe moyenne bénéficiant d'un double

2

Cette fillette de blanc vêtue, qui vient de faire sa première communion, relève ses jupes pour gagner sa cabane perchée au sommet du dépôt d'ordures de Santa Fe, au sud-ouest de Mexico. Les habitants de ce bidonville gagnent leur vie en fouillant les détritus et en vendant tout ce qui leur semble récupérable.

salaire. Elle occupe un agréable trois pièces à la Villa Kennedy, immense ensemble de logements ainsi baptisé à la suite de la visite du président américain au Mexique en 1962. Le mari travaille au ministère de l'Urbanisme et sa femme est institutrice dans une école primaire. Leurs deux enfants adolescents fréquentent une école privée et ont l'intention de poursuivre leurs études à l'université. Tous quatre sont heureux d'avoir quitté la ville de province où ils vivaient dix ans auparavant pour venir habiter à Mexico. Les possibilités d'emploi leur ont semblé plus nombreuses dans la capitale, les salaires plus élevés, les écoles meilleures, et la vie en général plus attrayante.

Mais l'existence de ces petits employés qui aspirent à s'élever dans l'échelle sociale n'est pas toujours facile. Si les salaires sont plus élevés dans la capitale, le coût de la vie l'est aussi. La famille se contente, pendant les vacances, d'aller chercher un peu de verdure et de détente au parc Balbuena tout proche. Son ordinaire, certes nourissant, est souvent composé de produits peu coûteux comme les tortillas et un mélange de bifteck haché et de soja. Elle doit souvent affronter une administration omniprésente et tatillone et, dans le contexte de crise du logement, faire face à l'augmentation régulière des loyers.

Les couches supérieures de la classe moyenne — avocats, médecins, membres des professions libérales, riches commerçants — habitent d'agréables maisons, mangent des nourritures plus variées et ont les moyens d'envoyer leurs enfants dans les écoles privées. Il leur arrive fréquemment d'aller dîner dans un des nombreux bons restaurants de la ville ou de passer la soirée au théâtre.

Les très riches — gros industriels ou hommes d'affaires — vivent dans d'impressionnantes résidences avec piscines et jardin luxuriant. Ils voyagent beaucoup à l'étranger et possèdent des résidences secondaires dans les lieux de villégiature à la mode comme Acapulco ou Puerto Vallarta, Cancún et Cuernavaca.

Riches et pauvres partagent toutefois à égalité bon nombre de difficultés et de périls qu'engendre le gigantisme croissant de Mexico. L'un des pires fléaux dont souffre en permanence la capitale est la pollution de l'air où flottent en permanence 10 000 tonnes de poussières toxiques. Les trois quarts de cette masse proviennent des gaz d'échappement des voitures et 15 pour cent sont d'origine industrielle. Le reste se forme à partir de ce qu'on nomme les sources naturelles — 650 tonnes par jour de déchets humains et animaux desséchés par le soleil, lesquels, mêlés à la poussière, sont charriés par le vent depuis Neza où les égouts restent encore à ciel ouvert. Cette pollution demeure souvent en suspension dans l'air car les montagnes qui encerclent la vallée de Mexico forment un barrage empêchant les vents de balayer l'atmosphère viciée.

De mai à septembre, les fréquents orages de la saison des pluies purifient l'air quelque peu. Les longs week-ends de la période des vacances, durant lesquels les usines ferment et la circulation se réduit, apportent eux aussi un peu de répit. C'est alors qu'on surprend parfois, en regardant vers le sud-est, le profil majestueux des volcans Popocatépetl et Ixtaccíhuatl qui composaient jadis le décor grandiose de la ville. Ce spectacle est devenu aujourd'hui un événement rare, surtout pendant la saison sèche où les vents soufflent juste assez fort pour soulever la poussière mais trop faiblement pour la dissiper. Certains jours, aux heures de pointe du matin, la visibilité peut se réduire à trois pâtés de maison et les atterrissages guidés en plein jour sont monnaie courante sur l'aéroport Benito Juárez.

Cette pollution est aussi dangereuse que

2

gênante. Les maladies qu'elle entraîne tuent chaque année 70 000 personnes, dont un bon nombre pour cause de troubles pulmonaires. Les parasitoses, tout aussi meurtrières, ont pour origine les micro-organismes contenus dans l'air qui contaminent les aliments en pénétrant dans les cuisines ou prolifèrent dans les citernes d'eau, plus ou moins hermétiquement closes, installées sur les toits.

L'action des pouvoirs publics visant à réduire la pollution industrielle n'a guère été couronnée de succès, car il s'avère moins onéreux pour les directeurs d'usine de stipendier les inspecteurs que d'installer des épurateurs. Les avantages fiscaux octroyés pour l'implantation d'entreprises en province n'ont pas incité beaucoup d'industriels à se décentraliser. Pourquoi construire une usine dans le Jalisco, objectent-ils, si la plupart des produits doivent ensuite être acheminés sur Mexico qui constitue le plus important débouché ?

La lutte contre la pollution due aux moteurs à explosion est restée jusqu'à présent inefficace en raison du trop grand nombre de voitures. Un recensement récent fait état de 200 000 autobus pour la plupart vétustes et poussifs, qui crachent des nuages du fumée noire, et de 35 000 taxis, généralement dans un état tout aussi lamentable, auxquels il faut ajouter 1,9 million de véhicules privés.

Pour aggraver la situation, les conducteurs mexicains sont les plus insouciants consommateurs d'essence. Ils profitent de son prix peu élevé pour brûler 5 300 litres par voiture et par an contre 2 200 aux États-Unis. En outre, ils doivent utiliser un mélange d'essence riche, en raison du délabrement de nombreux véhicules et de l'altitude de la métropole (2 277 mètres), qui ne brûle pas complètement.

En conséquence, l'atmosphère se charge de quantités importantes de monoxyde de carbone et de dioxyde de soufre et de plomb ; ce dernier, élément toxique aux effets insidieux, est un important composant de l'essence de la Pemex. Aux dires de Javier Gutierrez Baez, directeur des laboratoires des services de santé du personnel de la Sécurité sociale, les habitants de Mexico ont quatre fois plus de plomb dans l'organisme que le reste des Mexicains.

La démesure du parc automobile afflige aussi la ville d'embouteillages mondialement célèbres. On raconte que lors de sa visite, l'astronaute américain Neil Armstrong fit remarquer qu'il était plus facile d'aller sur la Lune que de traverser Mexico. Les encombrements du centre réduisent l'allure moyenne de la circulation à moins de cinq kilomètres à l'heure, ce qui ne contribue pas seulement à accroître la pollution atmosphérique mais engendre un bruit assourdissant de près de 90 décibels. Les retards qui en résultent coûtent à l'économie nationale 15 millions d'heures de travail par jour.

Les pouvoirs publics ont essayé de réduire la pollution et les encombrements en enjoignant les constructeurs automobiles de ne pas fabriquer de moteurs à huit cylindres, mais cette mesure semble assez illusoire. Il reste toujours possible d'importer des grosses cylindrées goulues des États-Unis, et les Mexicains font preuve d'une ingéniosité inépuisable pour maintenir leurs vieux tacots en état de marche.

La construction de voies à grande circulation s'est révélée une mesure insuffisante pour pallier le surnombre des véhicules. Le *Periférico*, autoroute circulaire à six voies mise en service dans les années 1960, est si encombré aux heures de pointe que les voitures avancent souvent au pas. Un système complémentaire de 120 kilomètres d'autoroutes urbaines, traversant la ville en tous sens et appelées *ejes viales*, c'est-à-dire voies axiales, a été inauguré en 1980. L'engorgement a pu être ainsi quelque peu résorbé dans les zones résidentielles, mais ces nouvelles artères n'acheminent pas moins quotidiennement un dense flot de circulation vers les vieilles rues étroites du centre de la ville, laquelle aurait besoin d'environ 450 000 places de stationnement supplémentaires. Cette pénurie contraint un grand nombre d'automobilistes, malgré les sanctions auxquelles ils s'exposent, à stationner très souvent en double file.

En dépit de la construction d'un excellent réseau métropolitain reliant le cœur de la ville aux grouillantes banlieues, de multiples problèmes subsistent, outre ceux inhérents à ce nouveau moyen de transport en commun. Aux heures d'affluence, des policiers, matraque en main, s'emploient à canaliser les usagers dans les couloirs et à les pousser comme du bétail dans les wagons bondés, en séparant parfois les hommes des femmes « pour des raisons de décence ». « Sinon », déclare un policier affecté à ce service, « vous n'avez pas idée du désordre qui s'ensuivrait. »

Le seul aspect positif des embouteillages est qu'ils permettent à une foule d'hommes, de femmes et d'enfants désœuvrés d'offrir leurs services aux automobilistes bloqués sur la voie publique : vendeurs de journaux, cracheurs de feu et laveurs de pare-brise se faufilent parmi les voitures et récoltent ainsi quelque argent. Cette infatigable population des rues fait tellement partie du paysage urbain qu'elle est devenue le sujet d'un film à succès.

La circulation automobile a été l'un des facteurs de disparition de la sieste, cette institution pourtant sacrée pour les Mexicains. Les distances entre le domicile et le lieu de travail sont généralement trop grandes pour rentrer déjeuner chez soi, même si la pause allouée est relativement longue. Certains s'interdisent de se rendre dans de nombreux quartiers qui leur étaient chers autrefois. « Je ne suis pas allé dans le centre depuis trois mois », regrette José Ignacio Amor, un architecte dont les

La section féminine des agents de la circulation, en grand uniforme, prête pour l'inspection. Les femmes occupant des emplois sont peu nombreuses au Mexique, la plupart effectuant en général des travaux non rémunérés au sein des exploitations familiales.

2

Enveloppé d'un brouillard épais, le gratte-ciel des *Petroleos Mexicanos* domine la capitale. A Mexico, la pollution atmosphérique s'est accrue à un point tel que la visibilité dans la journée est passée de 15 kilomètres en 1937 à 12 kilomètres aujourd'hui.

bureaux se trouvent au sud de Mexico. «Je n'ai plus d'amis dans le nord de la ville. Le temps qu'on perd sur le périphérique est vraiment trop grand pour que cela en vaille la peine», fait observer pour sa part l'urbaniste Maria Eugenia Negrete.

Et comme si la pollution, le bruit et les difficultés de déplacement ne suffisaient pas, le taux de criminalité ne cesse de croître à mesure que s'aggrave le chômage. D'après les reportages parus dans la presse, il se produit un vol à main armée toutes les six minutes, et une moyenne de 500 homicides par mois, ce qui fait de Mexico la ville la plus dangereuse du monde après New York.

Depuis longtemps, l'approvisionnement en eau comme l'évacuation de l'effluent urbain sont problématiques, Mexico étant situé sur un plateau semi-aride entouré de montagnes escarpées. Une partie des 50 tonnes d'eau consommées par seconde proviennent de captages et de puits distants de plus de 150 kilomètres et doit être pompée à grands frais pour franchir notamment la barrière des montagnes. Le coût de l'alimentation en eau ira en augmentant à mesure que la demande se fera plus pressante et qu'il sera nécessaire de capter des sources toujours plus lointaines.

Une part importante des eaux usées est acheminée parallèlement aux conduites d'eau potable au moyen d'un système complexe de pompes, de canaux de drainage et de canalisations. «Si jamais nos pompes tombaient en panne», commente Raul E. Ochoa, l'un des directeurs des usines hydrauliques, «nous nagerions tous en plein cloaque.»

D'autres pompes servent à l'évacuation des eaux torrentielles qui se déversent de temps à autre sur la ville pendant les orages de la saison des pluies ; ces trombes n'inondent pas seulement certaines banlieues insuffisamment drainées mais détrempent aussi le sous-sol déjà spon-

gieux, composé principalement de cendres volcaniques, de toute la vallée. Même en ses zones les plus compactes, celui-ci n'a pas la capacité de supporter des charges importantes. Bien avant les Espagnols, les Aztèques s'étaient aperçus que leurs pyramides et leurs temples massifs avaient tendance à s'enfoncer dans le sol. Les conquistadors bâtirent néanmoins leurs lourds édifices religieux et civils au-dessus des ruines de Tenochtitlán, la capitale aztèque, elle-même construite au milieu d'un lac pratiquement disparu.

Ce site est demeuré le centre de la ville moderne et on peut y constater aisément les effets de l'instabilité du sol. Certains des plus anciens édifices se sont franchement affaissés et le grand palais des Beaux-Arts en marbre blanc, qui penche sur un côté, continue de s'enfoncer dans le sol à raison de vingt centimètres par an. Les hauts immeubles modernes, construits selon les techniques novatrices mises en œuvre par l'architecte Frank Lloyd Wright, semblent toutefois moins menacés. La tour latino-américaine, par exemple, repose en partie ses 44 étages sur 361 piliers de fondation qui pénètrent à 30 mètres de profondeur. Le reste de la charge est supporté par un

soubassement flottant placé à 14 mètres sous la terre. Ce gratte-ciel ne manifeste aucun signe d'enfoncement et le tremblement de terre de 1957, mis à part le bris d'une fenêtre, ne l'a pas affecté.

Mais les problèmes liés à l'architecture ne sont pas les plus graves que connaisse Mexico. Le chaos dans lequel la ville risque de sombrer est beaucoup plus préoccupant. Statistiques à l'appui, les pessimistes démontrent que, si le parc automobile continue d'augmenter au rythme actuel, le point de saturation sera atteint bien avant l'an 2000 et aucun véhicule ne pourra plus circuler. Pour certains, la pollution de l'eau et de l'air rendront tout simplement Mexico inhabitable. Un haut fonctionnaire du gouvernement a prononcé gravement cette mise en garde : «L'éventualité d'une catastrophe n'est pas à exclure.»

Javier Caraveo, qui dirige les services d'urbanisme de la capitale, se déclare fort préoccupé par les problèmes liés à la surpopulation de Mexico. Des «tas de gens n'ont rien à faire ici», soupire-t-il. Il admet toutefois qu'on ne peut arrêter la croissance de la métropole, mais tout au plus la freiner. Dès 1980 cependant, il a mis en œuvre toute une série de mesures aussi

2

Lieu de pèlerinage vénéré non loin de Mexico, la basilique de la Vierge de Guadalupe et la chapelle adjacente s'enfonce peu à peu dans le sol spongieux. Il a fallu fermer la basilique et un nouveau sanctuaire, édifié en face de l'ancien, a été consacré en 1976.

hardies qu'ingénieuses afin de lutter contre les maux les plus graves. Il a commencé par réorganiser les itinéraires des autobus, ce qui a eu pour effet de réduire la pollution tout en renforçant l'efficacité du service. Récemment encore, les compagnies d'autobus privées avaient la latitude de choisir elles-mêmes leurs itinéraires. Il en résultait un réseau en forme de toile d'araignée de 570 lignes au parcours souvent doublé, privilégiant certains quartiers au détriment des autres. Le nouveau réseau mis en place par Caraveo doit ramener le nombre de lignes à 70 qui desserviront la totalité de la ville.

L'action de Caraveo s'est manifestée de façon encore plus ambitieuse — et avec la bénédiction des pouvoirs publics — par l'engagement de deux programmes de décentralisation. Le premier, espère-t-on, encouragera la croissance urbaine dans les zones du Mexique au peuplement moins dense en rendant ces «pôles de développement» suffisamment attirants pour détourner de Mexico le flot des nombreux campesinos désireux d'immigrer en ville. Le gouvernement fédéral a, de son côté, fait quelques pas dans ce sens en amorçant la décentralisation de certaines de ses administrations. Par exemple, les États assumeront désormais individuellement la gestion de leur portefeuille d'instruction publique, ce qui soulagera la capitale de l'armée de fonctionnaires affectée à ce secteur.

Le second programme, qui fut lancé au début des années 1980, fractionnera la capitale en neuf «centres urbains» — villes autonomes à l'intérieur de la ville, avec chacune son quartier des affaires, sa zone résidentielle et son secteur tertiaire. Les différents centres seront reliés entre eux par un réseau plus étendu et plus rapide de transports en commun. «Les gens n'auront plus à se déplacer aussi loin ni aussi souvent qu'auparavant», affirme le directeur des services d'urbanisme, «et lorsqu'ils

auront réellement besoin de parcourir de grandes distances, des moyens rapides et commodes seront à leur disposition.»

Il est également prévu de subdiviser les centres urbains en quartiers dotés d'un certain pouvoir de décision au niveau local. Le programme prévoit en outre l'aménagement d'espaces verts dans le fouillis actuel que forment les bidonvilles récents et les taudis.

Mais ces projets, si prometteurs soient-ils, ne sauraient être menés à bien sans le concours financier actif de l'État. On espère surtout que les pouvoirs publics sont suffisamment pénétrés de l'idée que toute inertie conduirait irrémédiablement la métropole à la catastrophe.

Quoi qu'il en soit, les habitants de la capitale ont le sentiment que, d'une manière ou d'une autre, leurs problèmes seront résolus. Sur les pare-chocs des autobus, les autocollants proclamant «Mexico, je crois en toi!» sont peut-être une forme de propagande gouvernementale, pourtant ils ne sont pas loin d'exprimer un vaste consensus. Par exemple, Oscar Toledo, avocat, compare sombrement Mexico «à un bébé gigantesque et insatiable», mais il s'empresse d'ajouter que «le Mexique ne pourrait exister sans Mexico».

Quiconque veut se faire une idée de l'enthousiasme qui peut régner à Mexico ferait bien de se rendre au Zócalo un soir de 15 septembre, veille du jour de l'Indépendance. Cette esplanade pavée de plus de cinq hectares, brillamment éclairée, se remplit alors, ainsi que les rues adjacentes, d'environ un demi-million de personnes en liesse, brandissant des drapeaux, soufflant sans discontinuer dans des cornets en carton, se jetant des coquilles d'œuf pleines de farine et des poignées de confettis rouges, blancs et verts.

A onze heures précises, le président de la République apparaît à un balcon du Palais national, édifice mesurant plus de

200 mètres de long qui occupe tout le côté est du Zócalo. Paré de l'écharpe tricolore, il brandit le drapeau national. Au-dessus de lui est suspendue la lourde cloche que le père Miguel Hidalgo y Costilla fit sonner le 16 septembre 1810 à Dolores (État de Guanajuato), pour appeler la nation à se révolter contre la domination espagnole.

Au son de la cloche, le président, reprenant le cri de ce prêtre passionné, s'écrie à son tour: «*Viva Mexico! Viva la independencia!*» Ces mots, qu'amplifient les haut-parleurs tout autour de la place, sont ardemment répétés par la foule. Et dans tout le pays on peut suivre la cérémonie retransmise par les chaînes de télévision. Ensuite, tout en agitant le drapeau, le président entonne l'hymne national dont les accents sont repris en chœur par la foule.

La commémoration s'achève par un feu d'artifice dont les gerbes et les bouquets retombent en pluie multicolore au-dessus du Zócalo, illuminant les portraits géants des héros de l'Indépendance disposés sur le pourtour de la place. Cette célébration tumultueuse est une sorte de défi que la capitale se lance à elle-même, pour se prouver qu'elle survivra à tous ses maux. Lieu de tous les paradoxes, sa croissance est à la fois sa mort, et son naufrage sa gloire. Mélange d'espoir et de détresse, Mexico est à l'image du pays qui, tout en étant riche, est aussi sans le sou. Le sort de la ville dépendra en définitive de ceux qui seront assez forts pour y survivre, comme par exemple la jeune Antonia Quiroz, femme de chambre de 18 ans, qui travaille dans un hôtel six jours par semaine, de 5 heures du matin à 9 heures du soir, et trouve encore le temps d'étudier la comptabilité. «Je vis du mieux que je peux», dit-elle simplement. «Nous traversons une crise grave, mais il faut affronter les difficultés avec calme. Les politiciens travaillent pour leur intérêt; mais nous, nous avons confiance dans l'avenir.»

Cet immeuble d'une académie militaire de Mexico, qui semble avoir basculé dans le sol, a été conçu de la sorte; à l'intérieur, les niveaux sont d'aplomb. Cette fantaisie reflète le fatalisme des Mexicains à l'égard des édifices de la capitale qui s'enfoncent inexorablement.

UNE PLACE TRÈS ANIMÉE

Mexico est une immense ville qui possède plusieurs quartiers — chacun avec sa personnalité, son administration et habituellement une place centrale qui sert de lieu de réunion pour ses habitants. Tel est le cas de Coyoacán, ancienne ville indienne devenue depuis une zone résidentielle dans le sud-ouest de la ville. A l'époque de la conquête, Hernán Cortés installa son quartier général sur la place où l'on peut voir encore son palais. Plus récemment, le quartier a pris un air gentiment bohème. Le peintre Diego Rivera y vécut ainsi que le bolchevik en exil Léon Trotsky, et c'est aujourd'hui l'endroit préféré des écrivains, des artistes et des chanteurs de cabaret. La place est à la fois un parc, un emplacement de marché, un théâtre dans la verdure et un salon en plein air. Les riverains vont flâner le long de ses avenues bordées d'arbres ou s'attablent dans quelque café. On peut y acheter de tout, des *tacos* aux dindes vivantes. Les dimanches et les jours de fête, il y a des parades, de la danse et des concerts organisés par les autorités locales. D'où cet aspect villageois et ce fort sens de la communauté qui frappe immédiatement le visiteur.

Jour de l'Indépendance à Coyoacán. Des drapeaux flottent entre le kiosque à musique, à gauche, et la façade du palais de Cortés, qui abrite aujourd'hui les bureaux de la municipalité.

Savamment emplumés, ces danseurs *concheros,* spécialisés dans les danses indiennes anciennes, se produisent sur la place de Coyoacán devant l'église San Juan Bautista qui fut édifiée au XVIᵉ siècle.

Sur la place de Coyoacán, des religieuses vendent des articles de piété au profit de leur ordre.

Avant le début de la parade dominicale, un vendeur de pâtisseries va dresser son éventaire. Ces réjouissances de fin de semaine, patronnées par les autorités, donnent à la place un air de fête.

Un canari dressé prend au hasard dans son bec un bout de papier contenant des prédictions sur l'avenir. En ce jour de fête, ce jeune dépense quelques pesos pour savoir si la chance va lui sourire.

Non loin de la place, un volailler a placé
son étal sous l'effigie fleurie à profusion
de la Vierge de Guadalupe, qui fait
l'objet d'un culte très fervent au Mexique.

Au marché tout proche, le visiteur peut boire un jus de fruits fraîchement pressés...

... commander un bel assortiment de fruits de mer...

... ou déjeuner sur le pouce d'un *taco* fourré de porc ou de bœuf.

Le vendredi, c'est jour de marché à Coyoacán et cette vieille paysanne indienne est venue y vendre ses volailles.

Avec une dextérité due à sa longue expérience, cette femme coud des petites poupées de chiffon pour les vendre au marché. De mémoire de riverain, elle s'est toujours assise au même endroit.

68

Cette colporteuse aux airs de matrone a installé sur le trottoir balais, chiffons, éponges et tampons à récurer.

Tout en accordant son instrument,
l'actrice d'une troupe ambulante donne
à un commerçant des détails sur le
spectacle qui sera donné en soirée dans
l'un des nombreux théâtres de Coyoacán.

A la demande du public, la fanfare
municipale donne un bis lors d'une fête
de fin de semaine sur la place. Des
instrumentistes d'un autre quartier sont
venus lui prêter main-forte pour
apporter de la variété au spectacle.

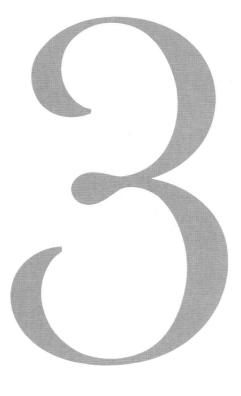

Des rangées de crânes sculptés sont alignées sur un mur du grand temple de Tenochtilán, la capitale aztèque, où se situe à présent la ville de Mexico. A leur arrivée, en 1519, les Espagnols furent choqués par ces figurations macabres.

L'HÉRITAGE INDIEN

Depuis le temple édifié au sommet de la pyramide de Tlatelolco, par une journée ensoleillée de novembre 1519, Bernal Díaz del Castillo et quelques autres Espagnols contemplaient émerveillés un spectacle saisissant. A leurs pieds, à peu près sur l'emplacement de l'actuelle ville de Mexico, s'étalait Tenochtitlán, la capitale des Aztèques. Díaz faisait partie de la troupe de quelques centaines d'aventuriers qui accompagnaient Hernán Cortés, un Espagnol intrépide de 34 ans, dans son expédition. Ils avaient abordé la côte du Mexique huit mois auparavant; à présent, lui et un petit nombre de privilégiés se tenaient dans le temple, situé au nord de la capitale aztèque, que l'empereur Moctezuma II leur faisait visiter.

La cité ne ressemblait en rien aux villes qu'ils connaissaient. Édifiée sur des marécages au milieu d'un lac, elle était bien plus vaste que Séville, d'où ils venaient. A leurs pieds, sous des arcades, s'étalait un immense marché. Vers le sud, au cœur de Tenochtitlán, étincelait un autre ensemble de temples aux murs blanchis à la chaux. Les palais impériaux lui faisaient face et, au-delà, plus de 60 000 maisons d'adobe, aux toits en terrasses, s'alignaient le long d'un réseau d'artères et de canaux bien entretenus. Plus loin encore, trois longues chaussées se déroulaient sur le plateau montagneux. Et à l'horizon s'étalaient une demi-douzaine d'autres villes.

«Nous étions tout abasourdis», note Díaz, qui tenait la chronique de l'expédition, «de contempler ces vastes édifices et ces tours massives, construits en matériaux lourds, qui surgissaient au-dessus des eaux. Certains des nôtres disaient même que tout cela était sûrement un rêve.»

Cortés et ses hommes étaient partis de Cuba, où l'Espagne avait déjà implanté une colonie, afin d'explorer les rivages du golfe du Mexique. Au départ, le conquistador possédait un contrat en bonne et due forme qu'il avait obtenu du gouverneur de Cuba, Diego Velázquez. Mais pendant les nombreux mois consacrés à préparer son expédition, il trouva le moyen de s'aliéner une bonne partie des colons de l'île, et notamment le gouverneur. Il s'affichait dans la capitale cubaine «en arborant un panache de plumes, un médaillon et une chaîne d'or, et un habit de velours brodé d'or», accompagné d'une nombreuse escorte. Il dépensait sans compter pour recruter des troupes, acheter des approvisionnements et rassembler une flottille d'une demi-douzaine de navires.

Velásquez, jaloux de son autorité, se prit à envisager d'annuler l'expédition. Mais Cortés, ayant eu vent des arrière-pensées du gouverneur, fit embarquer ses hommes en toute hâte et se glissa furtivement hors du port au matin du 18 novembre 1518. Lorsque Velázquez se rendit compte que son subordonné avait pris la clef des champs, il donna ordre de le pourchasser. Mais il était trop tard. Cortés naviguait déjà en haute mer dans les eaux du golfe. Il aborda le littoral de la péninsule du Yucatán en février ou en mars 1519. Pendant quelques semaines, l'expédition fit du cabotage le long des côtes, distribuant des perles de verre aux Indiens pour se

3

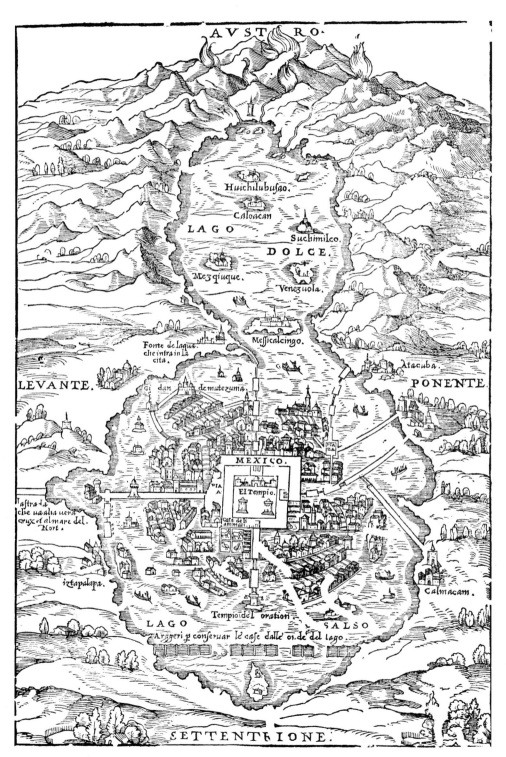

concilier leurs bonnes grâces. En cours de
route, les Espagnols eurent la surprise de
tomber sur un de leurs compatriotes,
Jerónimo de Aguilar, qui avait fait naufrage au large du Yucatán huit ans plus tôt
et avait depuis appris le parler maya de la
région. Aguilar se joignit à l'expédition et
fit office d'interprète.

Pour comble de bonne fortune, un chef
maya accueillit les conquistadors avec des
présents, de l'or et un lot de vingt femmes,
parmi lesquelles une princesse du nom de
Malintzin, parlant nahuatl, la langue des
Aztèques qui peuplaient l'intérieur des
terres. Les Espagnols la nommèrent Doña
Marina. Ils ne se doutaient guère de l'ampleur des services qu'elle allait rendre.
Doña Marina traduisait le nahuatl en
maya et Aguilar le maya en espagnol. Par
la suite, cette femme remarquable apprit
l'espagnol et put se passer d'intermédiaire.

En avril, Cortés décida de se lancer à
l'intérieur du continent. Avant de partir, il
prit l'initiative de fonder une colonie. Il
planta dans le sol une croix ainsi que la
bannière du roi d'Espagne et nomma les
lieux Veracruz (vraie croix), dont il prit
possession solennellement au nom de la
chrétienté et de la couronne espagnole.

Puis il progressa avec précaution vers
l'intérieur. La troupe eut à affronter quelques tribus hostiles, mais aussi souvent
que possible on recourait à la négociation.
Nombre d'Indiens accueillirent les Espagnols avec bienveillance et partout ces
derniers n'entendaient que concerts de
louanges sur la splendeur et la puissance
de la capitale des Aztèques, Tenochtitlán.

L'arrivée des troupes de Cortés dans
cette cité allait sceller le destin des Indiens
d'Amérique. A brève échéance, elle allait
entraîner la mort de l'empereur Moctezuma, la dévastation de sa capitale et la
chute de l'empire aztèque.

Dans cet empire, qui s'étendait des montagnes du nord à la forêt tropicale de

**Carte italienne du XVIᵉ siècle de la ville
aztèque de Tenochtilán, édifiée sur une
île du lac de Texcoco. On remarquera
l'emplacement central du grand temple
dominant la cité et les vastes avenues
qui la relient à la terre ferme.**

yltyocan.

Tehuantepec au sud, fleurissait l'une des plus remarquables civilisations du monde. L'empereur prélevait tribut sur ses sujets, éparpillés sur un vaste territoire, lesquels s'acquittaient avec de l'or, des pierres précieuses, des redevances en nourriture et une aide militaire. Aux titres de sa gloire, il pouvait compter de monumentaux chefs-d'œuvre d'architecture, qui avaient requis des milliers d'ouvriers, aussi bien que les plus minutieux calculs du mouvement des corps célestes. Cette culture s'était forgée sur plus de deux millénaires et le peuple aztèque avait assimilé au passage la quintessence de divers accomplissements émanant des sociétés qui l'avaient précédé.

Les tout premiers ancêtres des Mexicains étaient des nomades, pratiquant la cueillette et la chasse, qui s'étaient répandus trente mille ans plus tôt sur le continent nord-américain par le détroit de Béring alors relié au continent asiatique. D'Alaska, ils avaient progressé vers le sud et, vers l'an 20000 avant J.-C., ils avaient atteint le site de l'actuelle ville de Mexico, sur le plateau central. Les archéologues ont retrouvé les restes de feux de camps, des outils de pierre et des ossements de mammouths et autres mastodontes préhistoriques portant encore, parfois, des pointes de lance des chasseurs.

Aux alentours du cinquième millénaire avant J.-C., les premiers Mexicains avaient appris à cultiver la terre. Ils savaient désormais faire pousser les légumes qu'ils cueillaient autrefois: les courges, les piments, les haricots et le maïs. Une fois séché, le maïs se conserve indéfiniment, avantage d'une importance capitale dans une contrée où le climat et la nature des sols rendent les récoltes incertaines. Mis à tremper dans l'eau et moulu, on pouvait le façonner en galettes plates (le mot espagnol *tortilla* signifie petit gâteau). Une fois maîtrisée et largement répandue la culture du maïs, cette céréale devint la pierre

angulaire de la civilisation mexicaine.

Pendant tout ce temps, la population essaimait à travers le continent. Certaines peuplades s'implantèrent dans les régions marécageuses voisines du littoral du golfe, peu hospitalières à l'homme. C'est pourtant là que fleurit la civilisation olmèque, dont la culture urbaine, d'une extraordinaire complexité, s'épanouit pendant le second millénaire avant J.-C.

Les Olmèques s'établirent non loin du littoral, sur les territoires à présent occupés par les États de Veracruz et de Tabasco. Sur plusieurs dizaines de sites archéologiques olmèques recensés au Mexique, le centre cérémoniel de San Lorenzo, dans le Veracruz, figure parmi les plus anciens. Aux alentours de 1200 avant J.-C., les Olmèques étayèrent les flancs d'un vaste plateau crayeux s'élevant de près de cinquante mètres au-dessus des herbages environnants. Ils hissèrent à dure peine la terre dans des couffins jusqu'au sommet de l'escarpement pour former des monticules groupés sur des espaces rectangulaires, selon un rigoureux alignement nord-sud dont personne ne connaît la raison.

Parmi les monuments les plus remarquables de San Lorenzo figure une impressionnante collection de sept gigantesques têtes de pierre (certaines mesurent près de trois mètres de haut), blocs monolithes de 40 tonnes ornés de fantastiques sculptures animales et humanoïdes. Comme il n'y a

pas de pierre dans la région, les Olmèques allèrent tailler la roche dans les montagnes de Tuxtla, à 80 kilomètres de là, et comme ils ne connaissaient ni la roue ni l'usage des bêtes de somme, ils durent évacuer les blocs avec des cordages. Les pierres furent ensuite acheminées par voie fluviale jusqu'au golfe sur des radeaux; on leur fit longer la côte puis remonter un autre cours d'eau jusqu'à San Lorenzo, où il fallut les hisser jusqu'au plateau.

A quelques différences près, de semblables exploits furent renouvelés en territoire olmèque pendant six siècles encore. Certains monuments s'élèvent à plus de trente mètres; beaucoup sont ornés de mosaïques remarquables et dotés d'autels monolithiques, de stèles et de têtes colossales, souvent décorées de figures grotesques: des corps d'hommes avec des têtes de jaguar aux babines retroussées. Nul ne sait quelle signification leur attribuer. Peut-être s'agit-il de la postérité mythique d'un dieu-jaguar? L'une des plus étonnantes d'entre elles représente une femme en train de copuler avec un homme-jaguar. Quoi qu'il en soit, le jaguar est une figure récurrente dans la statuaire olmèque et dans tout l'art religieux des civilisations indiennes qui fleurirent au Mexique bien des siècles après que la civilisation olmèque se fut évanouie.

L'héritage des Olmèques fut pourtant recueilli avec vigueur et distinction par les

3

Mayas, établis dans le sud-est du Mexique et sur les territoires du Guatemala, du Belize, du Honduras et du Salvador actuels. On ignore d'où ils viennent mais, dès le IIIe siècle, ils avaient entrepris l'édification de centres cérémoniels élaborés, comparables à ceux laissés par les Olmèques. Les Mayas disposaient d'un avantage sur leurs prédécesseurs: la pierre abonde dans le substratum de la forêt tropicale de la région du Petén.

A partir de ces centres, la civilisation maya rayonna vers le sud-est, jusqu'au cœur du Honduras, et vers le nord-ouest, dans l'actuel État de Chiapas, pour ensuite s'étendre dans la péninsule du Yucatán, au sud du Mexique. A la différence des Olmèques, les Mayas ne laissèrent pas que des monuments, mais aussi maints indices passionnants sur leurs modes de vie. A Palenque, dans le Chiapas, une crypte de pierre merveilleusement ouvragée abrite, au cœur d'une pyramide, la tombe d'un roi qui régna au VIIe siècle de notre ère. On avait orné son corps de la tête aux pieds de colliers, de bracelets et d'anneaux de jade. Un tel déploiement de faste atteste la présence d'une élite puissante et riche. Le cérémonial de la vie de cour est retracé à Bonampak par de magnifiques fresques recouvrant le temple des peintures. L'une d'elles représente des prêtres se préparant à une cérémonie religieuse; une autre, un coup de main mené contre une tribu voisine; une troisième dépeint le sacrifice rituel des prisonniers.

Outre les activités guerrières, les Mayas se consacraient aux arts et aux sciences. Leurs astrologues étaient capables de calculer les phases de la lune, les éclipses du soleil et les mouvements des corps célestes, tant dans les siècles passés que dans le plus lointain futur. La croyance maya affirmait que le monde actuel avait pris naissance, selon notre calendrier, en l'an 3114 avant J.-C., en remplacement d'un univers plus

Cette statue de jade représente un jeune homme tenant un jaguar mythologique — déité au visage de félin et au corps de nourrisson —, l'un des dieux majeurs des Olmèques, qui dominèrent la partie méridionale du golfe du Mexique entre 1200 et 400 avant Jésus-Christ.

ancien. Les calculs complexes qui leur avaient permis de retracer les trois millénaires antérieurs, en tenant compte des années bissextiles, présupposent des connaissances mathématiques remarquables.

Le goût des Mayas pour mesurer le temps n'avait d'équivalent que leur souci de tenir la chronique des événements. Leurs édifices étaient couverts de hiéroglyphes sculptés, qu'ils peignaient aussi sur un papier fabriqué avec l'écorce de certains arbres. Dans les quelques codex que l'on possède, les érudits ont décrypté un système d'écriture comprenant plus de 800 caractères; les Mayas consignaient les noms, les dates de naissance, les anniversaires, les dates d'accession au pouvoir, les batailles, les décès — bref tout un pan d'histoire. A cet égard, ils présentent un exemple unique au sein des peuples de l'Amérique précolombienne.

Or, à la même époque, nombre de civilisations s'épanouissaient plus au nord, sur le grand plateau central du Mexique, supplantées périodiquement par des bandes de nomades déferlant depuis les déserts septentrionaux. Les derniers en date

étaient les Aztèques qui venaient d'un mystérieux pays appelé Aztlán. Ils se considéraient comme un peuple élu, que leur dieu, Huitzilopochtli, avait promis de conduire jusqu'à une contrée où ils trouveraient un aigle perché sur un *nopal* (cactus). C'est là qu'il leur faudrait s'établir. «Je ferai de vous les seigneurs et maîtres de la terre entière», avait dit le dieu.

Les Aztèques arrivèrent sur le plateau central au début du XIIe siècle. Après avoir erré quelque temps au sein d'autres peuples déjà établis, ils trouvèrent un refuge temporaire dans une zone désertique, infestée de serpents venimeux. Mais ils possédaient une nature coriace et beaucoup de détermination: ils firent des serpents leur ordinaire et prospérèrent.

Ils louèrent le service de leurs bras aux États voisins et se gagnèrent sans tarder une réputation de bravoure, voire de cruauté. Ils furent engagés une fois par Coxcoxtli, le chef de la ville-État de Culhuacán, au sud-est de l'actuelle ville de Mexico, en conflit avec une autre cité. Après le combat, ils revinrent porteurs de singuliers trophées — plusieurs milliers d'oreilles qu'ils avaient tranchées sur les cadavres de leurs ennemis massacrés.

Ils trouvèrent le moyen de berner aussi Coxcoxtli, pourtant grand maître ès manigances. La légende veut qu'ils l'aient convaincu de donner sa fille bien-aimée au cacique des Aztèques lequel promit de la faire reine. Mais à peine arrivée au camp, la jeune fille fut immolée à Huitzilopochtli pour lui servir d'épouse et devenir la déesse de la guerre protectrice des Aztèques. Fou de rage, Coxcoxtli prit la tête de son armée et chassa les intrus.

Les Aztèques allèrent se réfugier dans les marécages du lac Texcoco, où ils se dissimulèrent dans les hautes herbes jusqu'à ce que Huitzilopochtli se portât à leur secours. Il les conduisit jusqu'à une petite île où, comme il l'avait promis, ils trouvèrent un aigle perché sur un nopal. En cet endroit, ils édifièrent un temple et s'implantèrent définitivement. C'est ainsi qu'en 1345 fut fondée la ville de Tenochtitlán, dont le nom signifie en nahuatl, «le lieu du cactus».

A bien des égards, Tenochtitlán était implanté sur un site idéal. Le lac opposait un sérieux obstacle aux envahisseurs mais était une voie commode pour le transport des marchandises. En outre, il offrait une abondance de poissons, de volatiles aquatiques et d'algues comestibles. Avec ingéniosité, les Aztèques aménagèrent des terres cultivables en draguant la vase fertile du fond du lac pour combler les hauts-fonds. Ils firent pousser le maïs, les piments, les haricots et les courges dans ces *chinampas*, ou jardins flottants, ainsi dénommés car ils semblaient suspendus au-dessus du lac.

D'autres Aztèques s'installèrent dans la petite île adjacente de Tlatelolco et, peu à peu, les chinampas se développant, les deux îles furent réunies. En 1428, les Aztèques avaient établi leur domination sur la totalité du plateau central et, pendant 90 ans, ils pratiquèrent résolument une politique d'expansion. Les coups les plus vigoureux furent portés pendant le règne de Moctezuma Ier, qui gouverna de 1440 à 1468 et conduisit ses armées à la victoire depuis Oaxaca jusqu'à Veracruz. Tandis que se fortifiait l'empire aztèque, Tenochtitlán devint la ville la plus riche du Mexique. Moctezuma alliait les qualités du chef de guerre à de grands talents d'administrateur. Il patronna les arts et fit venir des architectes de Chalco, une cité-État renommée pour ses constructions. Il leur fit dessiner les plans des rues et des canaux de sa capitale et commanda maints embellissements. La pierre remplaça l'adobe dans les édifices publics. Des jardins furent aménagés et un aqueduc construit pour acheminer l'eau des torrents de montagne.

Les ruines de la cité maya de Palenque perchée sur un promontoire montagneux du Chiapas offrent un ensemble de temples de pierre, que domine une tour de trois étages. Éminent sanctuaire de la civilisation maya, Palenque était le lieu où, disait-on, mourait le soleil.

LES FIGURINES MORTUAIRES MAYAS

L'île de Jaina, au large de la côte de Campeche, a peut-être servi, entre l'an 600 et l'an 900 de notre ère, de nécropole maya, réservée aux nobles et aux dignitaires défunts du continent. Dans l'immense cimetière insulaire, les archéologues ont exhumé des milliers de figurines d'argile, comme celles qui illustrent ces pages. Ces statuettes, qui représentent des dieux et des déesses, mais aussi des hommes, des enfants et des animaux, étaient en fait des sifflets et des crécelles, sans doute des objets du culte rendu aux morts.

Hautes de quelques centimètres, elles portent souvent des traces de peinture polychrome et sont couvertes de bijoux, de plumes, de masques, et ornées de coiffures élaborées et de tatouages qui témoignent du goût des Mayas pour les parures.

Le dieu Soleil tient embrassée la déesse Lune. Selon la croyance maya, il la pourchassait chaque jour dans les cieux.

78

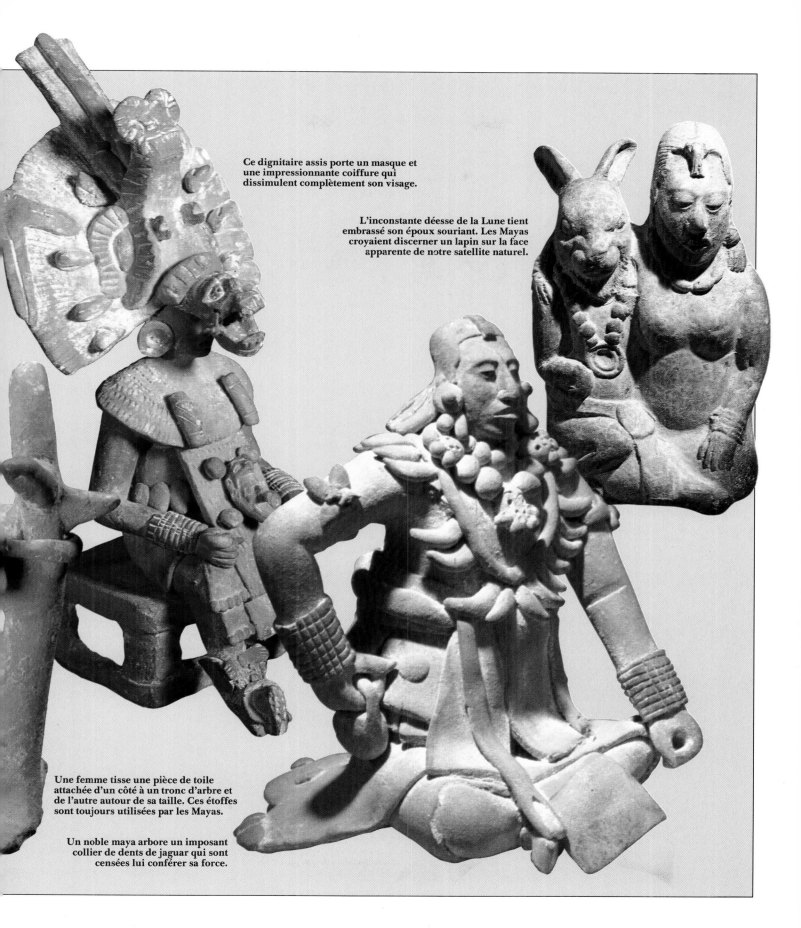

Ce dignitaire assis porte un masque et une impressionnante coiffure qui dissimulent complètement son visage.

L'inconstante déesse de la Lune tient embrassé son époux souriant. Les Mayas croyaient discerner un lapin sur la face apparente de notre satellite naturel.

Une femme tisse une pièce de toile attachée d'un côté à un tronc d'arbre et de l'autre autour de sa taille. Ces étoffes sont toujours utilisées par les Mayas.

Un noble maya arbore un imposant collier de dents de jaguar qui sont censées lui conférer sa force.

3

Dominant de toute sa hauteur la cité et l'empire s'élevait la grande pyramide, le temple de Huitzilopochtli, dieu perpétuellement assoiffé de sang humain, qui jouait un rôle double dans le monde aztèque : il était le dieu de la guerre, mais aussi le dieu du soleil. En lui dédiant sans relâche des sacrifices humains, les Aztèques croyaient lui offrir des âmes pour l'assister dans son voyage quotidien à travers le firmament. On choisissait de préférence les victimes parmi les prisonniers de guerre.

Le nombre de ces sacrifices dépasse l'entendement. Lorsqu'Ahuízotl, le fils de Moctezuma, monta sur le trône en 1468, il inaugura son règne en faisant reconstruire, à une échelle démesurée, au centre de la ville, le temple de Huitzilopochtli, qui fut consacré au cours d'une orgie sanglante. On rapporte que 20 000 prisonniers furent conduits au sommet de la pyramide jusqu'à l'autel de pierre où les prêtres leur ouvraient la cage thoracique et leur arrachaient le cœur. Le massacre dura quatre jours, de l'aube au crépuscule.

Ahuízotl soumit l'un après l'autre tous les peuples indiens, et bientôt son empire s'étendit sur plus de 150 000 kilomètres carrés, soit à peu près la taille de l'Italie actuelle. A l'intérieur de ce périmètre, seuls quelques irréductibles, comme les Tlaxcaltèques, qui tenaient une vallée à 100 kilomètres à l'est de Tenochtitlán, parvinrent à conserver leur indépendance.

En 1502, le trône échut à Moctezuma II, le neveu d'Ahuízotl et l'arrière-petit-fils de Moctezuma Ier, dont le premier geste fut d'organiser la collecte des impôts. Des percepteurs impériaux furent assignés à parcourir l'empire en tous sens, avec mission de recueillir avec régularité et promptitude des redevances en cacao, coton, plumes, pierres précieuses, coquillages, peaux de jaguar, aigles, cuirs tannés, pièces d'étoffe, or, argent, sandales et maïs.

LES RUINES DE TEOTIHUACÁN

Pour les Aztèques, Teotihuacán était déjà une cité fantôme, un lieu qu'ils associaient avec la fin d'un monde et le commencement d'un autre. Le centre cérémoniel, situé à 55 kilomètres au nord-est de Mexico, couvre 23 kilomètres carrés. Plus de 200 000 personnes y vivaient.

Parmi ses ruines imposantes, il faut signaler la pyramide de la Lune (*à droite*), haute de 60 mètres, et sa voisine, la pyramide du Soleil, constituées de murs en briques d'argile, recouverts de pierres. Pour une raison que l'on ignore — peut-être les dépradations de tribus nomades —, la plupart des édifices de Teotihuacán furent incendiés vers l'an 600 et la ville ne recouvra jamais plus sa prééminence.

A l'arrivée des Espagnols, au XVIe siècle, le site était déserté. Il inspirait aux Aztèques une terreur telle qu'ils y effectuaient nombre de cérémonies propitiatoires. Comme le souvenir de ses origines était tombé dans l'oubli, ou attribuait aux dieux la fondation de Teotihuacán.

Les ruines fantomatiques de la pyramide de la Lune, se reflétant sur le plan d'eau de l'esplanade inondée

L'exactitude zélée de ces fonctionnaires conduisit Moctezuma à sa ruine, car ses ennemis n'hésitèrent pas à se liguer contre lui à l'arrivée de Cortés.

Moctezuma se trouvait à la tête d'une structure sociale complexe. Il était tout à la fois la plus haute instance sacerdotale, le chef de l'armée et le juge suprême. Il disposait pratiquement d'un pouvoir absolu et se faisait traiter à l'égal d'un dieu. Aucun de ses sujets n'avait le droit de le regarder au visage, sous peine de mort.

Il vivait entouré de sa noblesse, classe privilégiée qui jouissait de résidences confortables, de serviteurs, de bijoux et de revenus tirés des butins de guerre ou des récoltes en provenance des exploitations agricoles aux abords de la ville. En retour, la présence des nobles était requise à la cour, de même qu'aux armées, si d'occasion l'empereur menait campagne. En théorie, l'accès aux rangs de la noblesse était fondé sur le mérite et, en particulier, sur la bravoure au combat. Mais au temps de Moctezuma II, la notion d'hérédité commençait à prévaloir. Les enfants des familles aristocratiques fréquentaient des écoles privées où on les formait à assumer les plus hautes fonctions dans le clergé, l'armée ou le gouvernement, et à engendrer la classe privilégiée de l'avenir.

Les prêtres, représentants temporels des dieux, bénéficiaient d'un statut à part. Gardiens de l'écriture, de l'astronomie, de l'astrologie, de la médecine, bref, détenteurs du savoir en général, ils dirigeaient des écoles où ils inculquaient à leurs aristocratiques élèves l'esprit des lois et l'art de gouverner. Les enfants étaient également soumis à des rigueurs spartiates: marches nocturnes ou bains glacés.

Au-dessous d'eux venait la petite caste des marchands itinérants, qui s'enrichissaient en faisant du négoce avec les peuples voisins et en se livrant en chemin à un peu

par la pluie, ne laissent présager en rien l'extraordinaire activité qui régnait autrefois en ces lieux.

3

d'espionnage pour le compte de l'empereur. Plus bas dans l'échelle, il y avait les simples citoyens — artisans, boutiquiers, ouvriers et agriculteurs —, vivant dans de petites maisons de boue séchée. La viande ne figurait pas souvent à leur ordinaire et ils étaient passibles d'enrôlement de force dans l'armée. Ils n'avaient le droit de porter ni sandales ni vêtements de coton, car ce textile, acheminé depuis les « terres chaudes », comme disaient les Aztèques (sans doute le Guatemala), était une denrée de luxe. Ils se vêtaient de rude étoffe de fibres d'agave.

Aux derniers échelons, il y avait les esclaves, mais l'esclavage n'était alors lié à aucune notion d'infamie. La mère d'Itzcóatl, l'empereur qui avait conduit les Aztèques sur le plateau central, était une esclave. Curieusement, la plupart d'entre eux le devenaient de leur propre chef: des hommes se vendaient après une mauvaise récolte ou pour s'acquitter d'une dette, avec l'espoir de se libérer plus tard par un moyen quelconque. Certains esclaves étaient des prisonniers de guerre, la plupart du temps en sursis, avant d'être envoyés au sacrifice dans les temples.

Le gouvernement exigeait du peuple sobriété et respect minutieux de la loi. Ceux qui étaient convaincus de vol ou de mensonge encouraient la mort. Les homosexuels étaient pendus; à ceux qui commettaient l'adultère on écrasait la tête entre deux pierres, et on coupait les lèvres aux diffamateurs. A bien des égards Moctezuma lui-même était un personnage énigmatique et bourré de contradictions. Il menait un train d'une incroyable splendeur. Sa domesticité lui servait des repas interminables qu'il prenait seul, derrière un paravent, tandis que des danseurs, des musiciens et des nains s'affairaient à le distraire. Mais parfois il s'abandonnait à l'ascétisme et préférait la prière et le jeûne à la pompe et au luxe. De formation

Des prêtres aztèques sacrifient deux prisonniers au dieu Huitzilopochtli. L'immolation était un honneur, et les victimes subissaient stoïquement leur destin. On leur arrachait le cœur, on les décapitait et les prêtres portaient 20 jours durant les peaux arrachées.

sacerdotale et féru d'astrologie, il vivait dans un monde visité par de nombreux prodiges — ce qui causa sa perte.

Les vingt premières années du XVIe siècle furent marquées par une série de phénomènes météorologiques extraordinaires qui donnèrent matière à inquiétude. Une nuit, une grande comète illumina le ciel. Puis, par une journée sans vent, une vague gigantesque balaya le lac de Texcoco et s'abattit sur la rive, détruisant tout sur son passage. Une autre fois, un petit temple brûla mystérieusement jusqu'à ras de terre. Dans l'esprit de Moctezuma, semblables phénomènes ne pouvaient qu'annoncer la venue de quelque événement surprenant et considérable.

Et c'est ce qui se passa. Au début de l'année 1519, un messager hors d'haleine, venant de la région du golfe, annonça qu'on avait aperçu au large de grands vaisseaux. C'étaient ceux de l'expédition de Cortés, et les nouvelles de leur progression se déversèrent jour après jour à la cour de Moctezuma. Les Indiens rapportaient le moindre mouvement de ces embarcations qui longeaient les côtes, depuis la

péninsule du Yucatán en direction de Veracruz. De temps à autre, les êtres qui se trouvaient à bord descendaient sur le rivage, aussi étranges que leurs navires. Barbus, la peau blanche, le corps bardé de brillant métal que ne pouvait transpercer aucune flèche, ils portaient des armes aiguisées qui étincelaient comme l'argent au soleil. Ils possédaient d'autres armes qui crachaient le feu et la fumée, et dont les plus terribles pouvaient faire voler un arbre en éclats.

Et puis, il y avait les animaux: d'énormes chiens aux yeux couleur de flammes, la bouche dégouttant de bave et, plus effroyable encore, une bête monstrueuse, mi-homme mi-daim, haute comme une maison, qui en courant ébranlait le sol, « comme s'il pleuvait des pierres ». Telle fut la première impression des Aztèques en voyant un cavalier sur sa monture.

Aux yeux de Moctezuma et de certains de ses proches, ces êtres n'étaient pas des hommes mais des dieux. Peut-être, se disait l'empereur avec optimisme, étaient-ils des émissaires annonçant le retour de Quetzalcoatl, le dieu de l'étoile du matin, qui dans les temps anciens avait été forcé par un dieu rival de s'enfuir en direction de l'orient, mais avait promis de revenir?

Tandis que Cortés et les siens progressaient vers le cœur du pays à travers les montagnes, les nouvelles qu'on apportait à la cour laissaient de moins en moins de place à l'optimisme. Dans la ville ennemie de Tlaxcala, les guerriers indigènes sortirent pour livrer bataille et furent rapidement défaits. Cortés entra dans la cité, fit la paix avec son chef, et poursuivit sa route, sa troupe renforcée par plusieurs milliers d'hommes du cru.

La tournure prise par les événements plongeait la cour de Moctezuma dans la perplexité. Que devait faire l'empereur? Si les nouveaux arrivants étaient des dieux, il fallait se les rendre propices; si c'était de simples conquérants, il fallait les arrêter au plus vite. Mais comment? Leurs armes semblaient dotées de pouvoirs magiques meurtriers qui laissaient Moctezuma démuni, et la facilité avec laquelle ils ralliaient à leur cause les ennemis des Aztèques dépassait plus encore l'entendement. Ayant appris le goût de l'or qui animait les étrangers, l'empereur leur envoya des messagers avec des sacs remplis du précieux métal — sans se rendre compte que, loin de les pousser à rebrousser chemin, ces présents les inciteraient au contraire à poursuivre leur avancée.

Tout courage semblait réellement avoir abandonné Moctezuma. «Que va-t-il advenir de nous?» disait-il. «Autrefois, j'étais heureux, mais à présent j'ai la mort dans l'âme.» Il organisa une embuscade à Cholula, une ville de l'actuel État de Puebla. Il était prévu de recevoir chaleureusement les Espagnols, de les envoyer se coucher et de les assassiner pendant leur sommeil. Mais Doña Marina, avertie du complot par une Indienne, alerta Cortés, qui fit massacrer les habitants de la ville. Les Espagnols poursuivirent leur progres-

sion, avançant, note un chroniqueur aztèque, «en conquérants prêts à livrer bataille; et la poussière tourbillonnait sur les routes. Leurs épées étincelaient au soleil et leurs bannières s'agitaient comme des chauves-souris.» Et de la sorte, le 8 novembre 1519, les redoutables intrus se présentèrent aux portes de Tenochtitlán.

La cour était en proie aux affres de l'indécision. Une faction, représentée par Cuitláhuac, le propre frère de l'empereur, préconisait la guerre à outrance. Mais Moctezuma, peut-être convaincu de l'inanité de toute résistance, ou peut-être toujours dans l'incertitude quant à la nature et aux intentions des arrivants, décida de leur réserver l'accueil propre à des dieux.

Il envoya une délégation de 4 000 nobles au-devant des Espagnols, sur la chaussée conduisant à la ville, pour leur offrir des guirlandes de fleurs. Puis il se présenta, abrité sous un dais étincelant, orné de plumes vertes, de perles et de fils d'argent. Les courtisans étalaient leurs manteaux sous ses pas, afin que les sandales dorées et incrustées de pierres précieuses de leur empereur ne foulent pas le sol impur.

Moctezuma offrit à Cortés une paire de colliers où pendaient huit énormes breloques en or en forme de crevette. Il fit escorter les Espagnols jusqu'au palais de son père, où il leur offrit l'hospitalité et les couvrit de généreux présents. Cet après-midi-là, il fit distribuer 5 000 tuniques de coton brodé, de pleins paniers de merveilles confectionnées avec des plumes, et des bijoux d'or et d'argent. «Sur toutes les terres que comportent mes domaines, vous pouvez ordonner à votre guise», dit-il aux interprètes, Doña Marina et Aguilar, «et vous pouvez disposer à votre gré de tout ce que nous possédons.»

Les historiens ont depuis longtemps spéculé sur les raisons qui poussèrent Moctezuma, souverain arrogant et absolu, à remettre si volontiers son empire aux

mains des conquistadors. Une théorie avance que les Espagnols, avec leur étrange apparence, leurs armes terrifiantes et leur évidente invincibilité, ressemblaient à des dieux. Une autre préconise que Moctezuma, en homme doté de sens pratique et en guerrier expérimenté, aurait estimé que le vrai courage consistait à se rendre. Une troisième, enfin, suppose qu'il a peut-être cru parvenir plus facilement à contenir les intrus en les laissant pénétrer librement dans la place.

Quoi qu'il en soit, les Espagnols s'installèrent comme chez eux, et tout ce qu'ils voyaient les remplissait d'admiration. Les jardins du palais offraient une profusion de fleurs et de plantes merveilleuses. Non loin de là, il y avait les volières où voletaient des milliers d'oiseaux de toutes les espèces, et des mares artificielles pour les canards et les hérons. Plus de 300 personnes étaient préposées à leur entretien. Il y avait aussi un zoo, rempli de carnassiers et de reptiles — entre autres des serpents à sonnette «qui ont des choses attachées à la queue qui sonnent comme des clochettes», note Díaz del Castillo. «Des chacals et des renards feulaient et les serpents sifflaient», ajoute-t-il. «On se serait cru en enfer.»

Outre ces curiosités, la somptuosité de la ville émerveillait les Espagnols. Des balayeurs conservaient les rues dans un état de grande propreté. Les maisons étaient couronnées de jardins en terrasse fleuris et, dominant la métropole, se dressait la grande pyramide, «d'une taille et d'une magnificence purement indescriptibles», écrivait Cortés au roi d'Espagne.

Peu de jours après l'arrivée des Espagnols, Moctezuma accompagna un petit nombre d'entre eux jusqu'à la pyramide de Tlatelolco, aux confins septentrionaux de la cité, pour leur faire contempler le panorama qui enthousiasma Díaz del Castillo. Le long du chemin, ils firent halte, sur la place, au marché, pure merveille d'organisation. Un secteur était assigné à chaque marchandise. Il y avait le coin des objets de jade, celui des objets en bois, des pierres calcaires ou du sel. Une allée était réservée aux herboristes, une autre aux barbiers, une autre aux vendeurs de canards sauvages, de perroquets, d'aigles, de hiboux et d'éperviers. Le quartier des bouchers offrait sur les étals des lièvres, du gibier et, rapporte Díaz, «des petits chiens dodus élevés pour la consommation». On y vendait aussi des graines de cacao, si fort prisées qu'elles servaient souvent de monnaie d'échange : seuls les nobles pouvaient s'offrir le luxe de boire du chocolat.

Díaz del Castillo prit grand intérêt au marché de l'or. Les grains d'or étaient

Cette peinture, datant du XVIᵉ siècle, représente Moctezuma II contemplant le passage d'une comète dans laquelle il crut voir un présage. L'œuvre est due à un Indien, au service du missionnaire Diego Durán, chargé par lui de peindre des scènes de la vie des Aztèques.

Des conquistadors espagnols, massés sur le pont de leur navire, observent un des leurs pêcher près du rivage. Perché sur les hautes branches d'un arbre, un Aztèque surveille l'arrivée des inconnus.

Cinq guerriers aztèques, armés de javelots et de boucliers, attaquent des soldats espagnols en armure retranchés à l'intérieur du palais de Moctezuma.

placés dans des pennes d'oie, «de sorte», dit-il, «qu'on peut les évaluer en fonction de la grosseur des pennes». Si une altercation s'élevait au sujet de la qualité ou du prix, le client pouvait demander l'arbitrage d'une assemblée de juges siégeant non loin de là. Des fonctionnaires circulaient pour veiller à l'honnêteté des transactions.

Au-delà, s'élevait la pyramide surmontée de son temple. Díaz dénombra 114 marches pendant qu'il la gravissait. Au sommet, l'empereur désigna les curiosités

de la ville. Puis il fit pénétrer les Espagnols à l'intérieur du temple, et alors la fascination fit place à l'horreur. Une paire d'idoles de dimensions colossales luisaient dans l'obscurité: Huitzilopochtli et Tezcatlipoca, le dieu des ténèbres. Le premier leur sembla le plus impressionnant: «Il avait un visage énorme et monstrueux et des yeux terribles», écrit Díaz del Castillo. «Sur son corps s'enroulaient de grands serpents d'or sertis de pierres précieuses». A ses pieds, poursuit-il, «sur des braseros où brûlait de l'encens, se consumaient les cœurs de trois Indiens sacrifiés ce jour-là. Les murs étaient éclaboussés de tant de sang qu'ils en étaient devenus noirs et le sol était aussi visqueux que celui d'un abattoir en Espagne.»

Cortés, on ne sait pourquoi, en profita pour placer un petit discours en apologie du christianisme. «Señor Moctezuma», dit-il, à ce que rapporte Bernal Díaz del Castillo, «j'ai la certitude qu'un prince grand et sage comme vous sait que ces idoles ne sont pas des dieux mais des démons... Laissez-moi placer une croix au sommet de cette tour et une effigie de Notre Dame, et vous constaterez, par la crainte qu'elles inspireront à vos idoles, que celles-ci vous ont toujours trompé.»

L'empereur écouta les propos de Cortés avec une attention courtoise, mais son regard se durcit. «Je n'aurais jamais dû vous montrer mes dieux», déclara-t-il. «Ils nous accordent la santé et les pluies, nous indiquent les moments propices pour les semailles, règlent le cycle des saisons et sont les garants des victoires que nous désirons. Je vous prie de ne pas ajouter un mot en leur défaveur.»

Ces paroles vinrent renforcer le sentiment de malaise qu'éprouvaient les Espagnols, en dépit de l'accueil somptueux qui leur avait été réservé jusque-là. «Dès lors», note Díaz, «nous allions toujours la barbe derrière l'épaule.» De fait, l'hostilité

LE MONUMENTAL CALENDRIER AZTÈQUE

Parmi les milliers d'objets témoignant du génie créateur des Aztèques et de la complexité de leurs modes de pensée, le plus impressionnant est le disque de basalte sculpté appelé parfois la pierre du Soleil (*ci-dessus*). Il mesure 3,5 mètres de diamètre et pèse 24 tonnes, et il ornait autrefois le grand temple de Huitzilopochtli, au cœur de Tenochtitlán. Les reliefs compliqués qui le décorent représentent le cosmos aztèque — les dieux, les cérémonies, et la division du temps.

Cette pierre est loin d'avoir livré tous ses secrets, mais on s'accorde à penser que le centre du médaillon est occupé par le dieu du Soleil. Les deux cartouches en forme d'oreille qui le flanquent représentent des griffes enfoncées dans des cœurs, symboles des sacrifices humains pratiqués par les Aztèques. Les quatre encadrements rectangulaires entourant le dieu du Soleil figurent les déités attachées aux éléments naturels (*dans le sens inverse des aiguilles d'une montre et en partant du haut*): la terre, le vent, le feu et l'eau, qui, tout à tour, croyait-on, avaient détruit quatre «mondes» antérieurs, c'est-à-dire quatre cycles précédant l'époque où fut sculpté ce monolithe de basalte.

Les bandes concentriques de hiéroglyphes entourant ces figures décrivent les mois et les années depuis le début du monde actuel — situé en l'an 1011. Le corps de deux serpents apparaît tête contre tête, en bas, et queue contre queue, en haut.

Les Espagnols enterrèrent le disque au milieu des ruines de la cité splendide qu'ils rasèrent. Celui-ci demeura enseveli jusqu'en 1790, date où des chercheurs de trésors le trouvèrent en effectuant des fouilles près du Zócalo. Le Calendrier aztèque est aujourd'hui exposé au musée d'anthropologie, situé dans le parc de Chapultepec à Mexico.

3

voilée des Aztèques ne faisait qu'aggraver chez les conquistadors l'impression que Tenochtitlán était un piège. Les ponts de bois reliant la lagune à la terre ferme pouvaient être détruits. Et la moindre effervescence au sein des troupes se révélerait à coup sûr fatale aux Espagnols.

Sur ce, on apprit que six d'entre eux, demeurés sur la côte, avaient été tués par des sujets de Moctezuma. Voilà qui offrait à Cortés une occasion rêvée de modifier le *statu quo* à Tenochtitlán. Il se présenta devant l'empereur escorté de 30 compagnons et lui tint ces propos rapportés par Díaz : «Je ne veux pas entrer en guerre pour ce motif ni détruire cette ville. Je suis prêt à tout oublier si vous acceptez de nous suivre dans nos quartiers sans attirer l'attention ni créer le moindre incident. Là, vous serez bien traité et bien servi. Mais si vous faites du tapage ou appelez au secours, vous serez immédiatement occis par ceux-là, mes capitaines, qui m'accompagnent dans ce seul but.» Moctezuma les suivit la tête basse et se retrouva assigné à résidence dans les logements qu'il avait mis à la disposition des Espagnols.

A peine Cortés venait-il de réussir cette manœuvre qu'il eut à résoudre un autre problème. Il apprit qu'un important contingent de soldats espagnols venait de débarquer à Veracruz, envoyé par le gouverneur de Cuba pour se saisir de lui. Moctezuma ne se tenait plus de joie à la perspective de se voir prochainement débarrassé de son geôlier. Mais c'était sous-estimer la résolution et l'audace du conquistador. Cortés confia à un de ses lieutenants, Pedro de Alvarado, le soin d'assurer la surveillance de Moctezuma et lui laissa un petit détachement de soldats ; puis, avec le restant de ses hommes, il se mit en marche vers la côte, recrutant en cours de route pour grossir ses troupes de nombreux volontaires parmi les tribus indiennes qu'il s'était conciliées à l'aller.

Il rejoignit ses adversaires à Cempoala, à une centaine de kilomètres de Veracruz et les attaqua par surprise à la faveur de la nuit. Les envoyés du gouvernement de Cuba se rendirent bientôt et, attirés par l'appât du butin, acceptèrent de venir renforcer l'armée de Cortés qui prit derechef le chemin de Tenochtitlán.

La situation dans la capitale n'était guère réjouissante. Certains membres de la noblesse aztèque s'étaient réunis près du temple pour célébrer une cérémonie religieuse et Alvarado, redoutant une attaque, s'était jeté sur eux et les avait massacrés. Indignés, les habitants de Tenochtitlán avaient pris les armes, et à présent ils assiégeaient les Espagnols barricadés dans le palais. Seule la présence de Moctezuma, toujours entre les mains d'Alvarado, les retenait de donner l'assaut.

La cité était étrangement calme lorsque Cortés arriva, et il commit une erreur fatale. Il fit avancer ses troupes dans les rues désertes jusqu'au palais — et se trouva soudain encerclé par une horde de guerriers. Chaque tentative pour se dégager fut enrayée par une volée de flèches et de pierres. Cortés força alors Moctezuma à monter sur la terrasse pour calmer son peuple. Mais cette manœuvre fut sans effet. Une pierre vint frapper l'empereur à la tête et il mourut trois jours plus tard.

Le siège se poursuivit. Cortés commençait à désespérer. La nourriture et la poudre venaient à manquer et ses hommes, harcelés sans relâche par l'ennemi aux portes du palais, se trouvaient fort mal en point. Il fallait trouver une issue. Les Aztèques ayant détruit les ponts enjambant les canaux, on en construisit un, démontable. Le 1er juillet 1520, aux petites heures de l'aube, alors que la cité était noyée dans le brouillard, les Espagnols, ayant enveloppé de chiffons les sabots de leurs chevaux pour assourdir les bruits, désertèrent les abords du palais.

Ils arrivèrent inaperçus au premier canal, montèrent le pont et gagnèrent l'autre digue. Mais une vieille femme qui tirait de l'eau les vit. Elle poussa un cri qui alerta les sentinelles. L'alarme fut donnée à grands sons de conques marines et, en un instant, des milliers d'hommes furent sur le pied de guerre, à bord d'embarcations ou sur les digues, qui taillèrent impitoyablement en pièces les fuyards.

Une poignée d'Espagnols parvint au second canal, mais le pont de fortune s'écroula sous le poids de leur nombre et de leurs chevaux. Beaucoup tombèrent à l'eau et tentèrent de trouver leur salut en nageant. Or, la plupart s'étaient lestés de tout ce qu'ils avaient pu emporter du trésor de Moctezuma avant de quitter le palais. Alourdis par le poids de l'or, ils coulèrent. Bientôt le canal ne fut plus qu'un horrible mélange d'hommes et de chevaux en train de se noyer.

Pourtant Cortés et certains de ses compagnons parvinrent à gagner la terre ferme. Ils se regroupèrent au pied d'un arbre géant. Sur un millier d'Espagnols, plus de 450 étaient morts, ainsi que 4 000 partisans indiens. Le souvenir de cette débâcle reste connu dans l'histoire espagnole sous le nom de *La Noche Triste* (la triste nuit). La chronique rapporte que Cortés, généralement peu émotif, s'assit au pied de l'arbre et versa des larmes amères.

Dans la cité aztèque, la victoire fut célébrée par l'intronisation d'un nouvel empereur, Cuitláhuac, le frère de Moctezuma, qui, l'un des premiers, avait recommandé de s'opposer fermement aux Espagnols. Il leva des troupes qu'il entraîna à résister à toute attaque. Mais il ne pouvait prévoir que les conquistadors avaient introduit dans la place un ennemi silencieux — la variole. Les habitants mouraient de ce mal par milliers et l'empereur y succomba aussi. C'est un petit-cousin de Moctezuma qui lui succéda. Il avait 18 ans

et s'appelait Cuauhtémoc, ce qui signifie «l'aigle qui tombe». Plein de courage et de détermination, le nouvel empereur, prévoyant un retour en force des Espagnols, enrôla des conscrits et des volontaires dans le ban et l'arrière-ban de ses alliés, et les soumit à un entraînement rigoureux.

Pendant ce temps, Cortés avait conduit ses hommes à Tlaxcala et levé des troupes fraîches parmi les Indiens. Dix mois s'écoulèrent et, à la tête d'une armée considérable, il fit marche de nouveau vers Tenochtitlán. Il pouvait compter sur 500 compagnons d'armes à cheval et sur 18 canons de bronze que le gouverneur de Cuba avait dépêchés contre lui pour lui faire entendre raison. Mais, une fois de plus, le tenace conquistador avait réussi à rallier à sa cause ceux qui avaient pour mission de le capturer. En outre, près de 100 000 Indiens de Tlaxcala et de Texcoco venaient gonfler ses rangs. Se rappelant la pénible leçon du franchissement des canaux, Cortés avait fait construire un grand nombre d'embarcations à voile qu'il fit acheminer à dure peine, en pièces détachées, par les cols de montagne. S'il contrôlait le lac, il lui serait loisible de prendre la ville.

A présent, la chute de Tenochtitlán semblait inéluctable. Cortés fit barrer les aqueducs alimentant la ville en eau potable et, avec ses bateaux, il établit un blocus sur les approvisionnements en nourriture venant de la campagne. Les habitants en furent bientôt réduits à manger des lézards et à mâcher du cuir tanné. Pourtant, ils résistèrent vaillamment. Ils se tenaient postés sur les terrasses et opposaient à toute tentative de progression des Espagnols des volées de projectiles.

Mais Cortés ne manquait pas d'imagination et il trouva un moyen de circonvenir les défenses ennemies. Il fit hisser ses canons sur les digues et entreprit de détruire systématiquement les édifices de

la cité. Puis il envoya des détachements niveler les étendues de ruines ainsi créées, ce qui donnait à ses troupes de vastes champs de manœuvre. Les palais furent rasés, de même que les jardins et le zoo, sans compter les édifices massifs bordant la place du grand temple. Les envahisseurs progressaient de façon irrésistible, obligeant les Aztèques à battre en retraite dans Tlatelolco — où se dressait la pyramide du haut de laquelle les Espagnols avaient contemplé le panorama de la cité. Bientôt les lieux furent pris et le temple brûlé.

Nos cris de douleur s'élèvent
Et nos larmes se déversent
Car Tlatelolco est perdu.
Les Aztèques s'enfuient à travers le lac.
Ils fuient comme des femmes.

Ainsi gémit un poète aztèque après la catastrophe, et un autre s'adresse en ces termes au dieu Tezcatlipoca:

T'es-tu lassé de tes serviteurs?
Es-tu fâché contre tes serviteurs,
Ô dispensateur de la vie?

Le brave empereur Cuauhtémoc prit le large lui aussi. Il fut capturé l'après-midi du 13 août, alors qu'il s'enfuyait dans une embarcation. Amené devant Cortés, il toucha le poignard pendu à la ceinture de son vainqueur. «J'ai fait tout ce qui était en mon pouvoir pour nous défendre, moi et mon peuple, et je n'ai rien négligé de mes devoirs», lui dit-il. «Tue-moi, c'est ce qu'il y a de mieux.» Au contraire Cortés le garda prisonnier. Mais deux ans plus tard, apprenant que Cuauhtémoc préparait en secret son retour, il le fit pendre.

Ainsi tomba le dernier empereur aztèque et la vénérable civilisation qu'il représentait. Désormais, le Mexique allait entrer dans une phase de dépendance à l'égard de la lointaine Espagne.

Cette statue polychrome, datant du XIVᵉ siècle, fut découverte à l'entrée du grand temple de Mexico, en 1978, où des fouilles systématiques furent entreprises. On pense que ces figures à demi couchées représentaient des messagers entre les prêtres et les dieux.

LA MADRE TIERRA, MANDA LA ENFERMEDA PORQUE LA TIERRA ES LO QUEDA LA CO-
SECHA, LA COSECHA NACE AQUI EN LA TIERRA, POR EL ESTRABAJO DEL HOM-
BRE, POR ESO NECESITA ENTREGAR UNA OFRENDA GRANDE, A LA MADRE TIERRA
Y EL SR. DE ANTIGUA PARA QUE SIGA AYUDANDO ESTA OFRENDA ES LA
COMIDA QUE ES EL GUAJOLOTE Y GUAJOLOTA, TODO ES PARA LA MADRE
TIERRA Y PARA EL SR. DE ANTIGUA, LA OTRA OFRENDA, QUE ES PARA SR.
JESUCRISTO A EL LE ENTREGAMOS UN POCO DE CERA Y UN POCO DE IN-
CIENSOS, ESO ES SU PERFUME DE NUESTRO SR. JESUCRISTO.

NACIMIENTO DEL NIÑO JESUS.

28

Dans ce manuscrit sont décrits les rites religieux des Otomí, mélange de pratiques païennes et chrétiennes. Sur cette page, la naissance du Christ.

UN ART ANCESTRAL

Dans une vallée immense et isolée, située à près de 200 kilomètres au nord-est de Mexico, est blottie une petite bourgade indienne où les traditions ancestrales sont toujours vivaces. Le village de San Pablito abrite 2 500 Indiens otomí qui parlent encore leur langue d'origine. Ils sont catholiques pratiquants, mais ils entretiennent de nombreux chamans par l'intermédiaire desquels ils rendent hommage à un panthéon d'une bonne dizaine d'esprits supérieurs et à un nombre incalculable d'esprits inférieurs.

La prospérité de San Pablito réside dans la production d'un papier fait d'écorce, fabriqué à la main. Les habitants l'utilisent pour pratiquer leurs rites et un chaman en fait des livres religieux, illustré de figures découpées et collées (*à gauche*).

Mais l'essentiel des feuilles de papier est vendu à des artistes. La demande est telle que pratiquement tous les villageois participent à la mise en œuvre de cette technique, vieille de deux mille ans. Et le bruit du martèlement des pierres sur l'écorce résonne dans toute la vallée, indiquant au voyageur qu'il approche du village.

Trois habitants de San Pablito se rendent à l'*oratorio* (oratoire) devant lequel les Otomí pratiquent leurs cérémonies religieuses. S'ils conservent leurs coutumes ancestrales, les villageois ont vu néanmoins avec satisfaction la localité s'équiper d'électricité et d'eau courante.

Après la messe, un prêtre desservant bénit les seaux remplis d'eau, disposés devant le maître-autel, et que les paroissiens emporteront chez eux.

Un des nombreux bénévoles à se charger de l'entretien de l'église lave le sol. Bien que desservie de façon irrégulière par des prêtres de passage, l'église est toujours reluisante et profusément ornée de fleurs fraîches et de guirlandes.

En jupe de coton à ceinture rouge et en corsage brodé, costume traditionnel des femmes otomí, cette jeune croyante fait la génuflexion devant la statue de la Vierge, habillée comme les Indiennes.

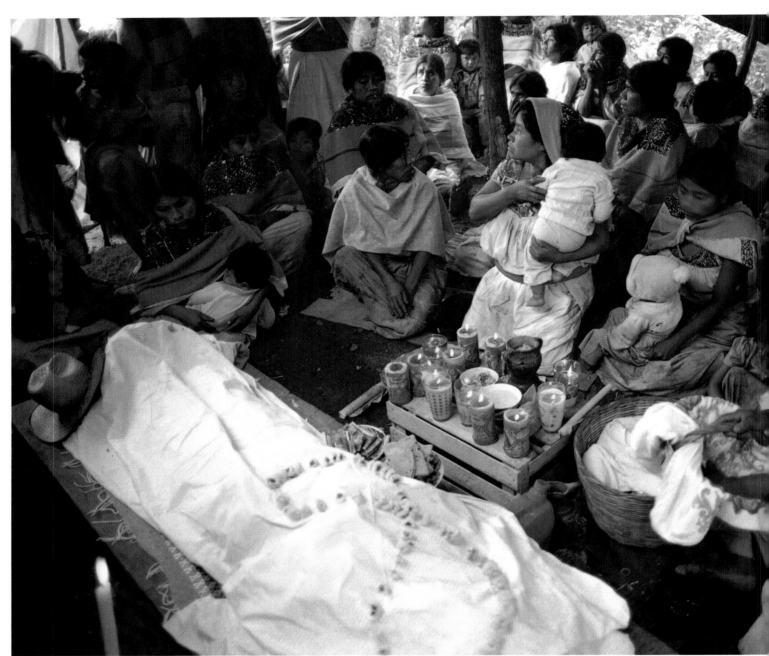

L'assistance a disposé près de la civière mortuaire des soucis, de la nourriture, de l'argent et un chapeau destinés à l'usage du défunt dans l'au-delà.

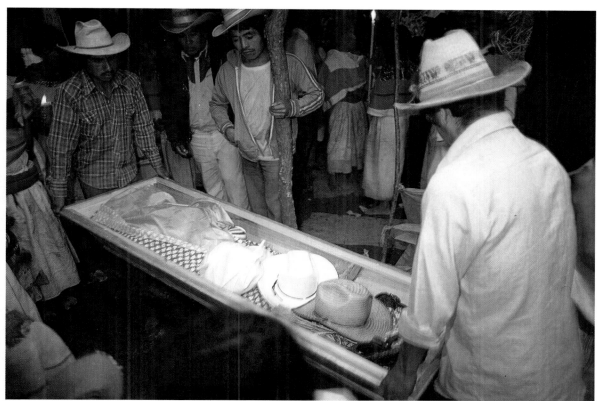

Un second chapeau — pour les grandes occasions — a été placé sur le cercueil avant les funérailles.

Dans la soirée, le cercueil profusément décoré, que l'on a fait venir de la ville voisine, est descendu dans la tombe.

Pour faire du papier, cette femme va marteler une grille de fibres d'écorce de figuier avec une pierre. Le garçon lisse une feuille aplatie.

LE PAPIER D'ÉCORCE DE SAN PABLITO

Depuis toujours, les Indiens du Mexique accordent au papier une signification religieuse. Ils l'utilisent pour leurs livres sacrés, leurs vêtements de cérémonie, la décoration des autels, les bannières des temples et les sacrifices. De nos jours encore, il conserve une grande valeur aux yeux des Indiens du village de San Pablito.

On le fabrique avec de l'écorce de figuier que l'on fait sécher et que l'on découpe en lanières de plus de un mètre. On fait macérer celles-ci dans l'eau, puis bouillir avec de la soude caustique (cet ingrédient sert également à traiter le maïs utilisé pour confectionner les tortillas) jusqu'à ce que les fibres se séparent. Ces dernières sont disposées entrecroisées sur un billot de bois bien équarri (*à gauche*), et martelées avec des pierres volcaniques plates, grosses comme la main. Quand elles sont parfaitement étalées, on les met à sécher au soleil.

L'essentiel de la production alimente les marchés touristiques. Quelques villageois décorent à la peinture ces feuilles de papier pour les vendre, et celles-ci servent aussi de support aux extraordinaires compositions des Indiens du Guerrero. Mais quelques-unes sont réservées à l'usage des chamans qui procèdent aux anciens rites religieux (*pages suivantes*), nécessitant également l'usage d'un autre papier coloré, fabriqué par des moyens mécaniques.

Un chaman découpe dans du papier plié une figurine qui servira à décorer les livres sacrés.

Les découpages sont collés sous le texte sacré soigneusement calligraphié.

95

Un chaman éparpille quelques gouttes du sang d'un poulet sacrifié sur des figures de papier représentant les mauvais esprits qu'on l'a prié d'exorciser. Il les attire et les emprisonne aussi avec des offrandes d'alcool et de cigarettes.

Le peuple mexicain s'est rassemblé pour les cérémonies commémoratives de la Révolution de 1910. De gigantesques effigies des plus grands chefs révolutionnaires dominent la foule en liesse : de gauche à droite, les portraits d'Aquiles Serdán, Francisco Madero, Pancho Villa et Emiliano Zapata.

LES CHEMINS
DE LA LIBERTÉ

«Autrefois nous étions au bout du monde, et à présent nous sommes en son centre; et notre histoire connaît un tour de la fortune surprenant.» C'est en 1520 que l'humaniste espagnol Hernán Pérez de Oliva écrivit ces mots, au moment où les nouvelles du Nouveau Monde se propageaient dans son pays. «Alors, Messieurs», ajoutait-il, «profitez de la bonne fortune qui échoit à l'Espagne et qui vous ouvre une voie vous permettant d'y participer et d'apporter la prospérité au sein de vos familles.»

L'exhortation de Pérez de Oliva reflétait assez bien les sentiments de joie, de fierté et d'espérance dans l'avenir qui animaient l'Espagne tout entière. Le roi Charles Quint s'empressa de pardonner à Hernán Cortés son insubordination et le nomma gouverneur et capitaine général de la nouvelle colonie. A partir de cette date, et pendant de nombreuses années, les Espagnols s'embarquèrent par milliers pour la Nouvelle-Espagne, nom qu'on avait donné à la colonie; tous ces hommes étaient avides de s'approprier des richesses comparables à celles découvertes dans la ville de Moctezuma.

Loin de se cantonner à Tenochtitlán, les conquistadors explorèrent, en l'espace de deux ou trois décennies, un territoire couvrant plus de un million de kilomètres carrés, du golfe au Pacifique, de la péninsule du Yucatán jusqu'aux régions où se situent actuellement le Texas, l'Arizona, le Nouveau-Mexique et la Californie. Chemin faisant ils proclamèrent la souveraineté de la couronne d'Espagne sur près de 25 millions d'Indiens.

De l'affrontement et de l'amalgame des cultures indienne et hispanique allait naître la nation mexicaine, mais le processus devait s'étendre sur des centaines d'années, marquées par la misère et les effusions de sang. Pendant trois siècles la colonie fut entièrement dépendante du bon plaisir de la couronne espagnole. Au siècle suivant, elle devint le théâtre de guerres incessantes, qui allaient permettre aux Mexicains d'abord de s'affranchir de la domination espagnole, puis de se libérer de toute ingérence étrangère; enfin, ils luttèrent entre eux, divisés par des querelles intestines, pendant une décennie dans le but d'abolir les injustices et d'apaiser les haines nées du régime colonial.

Les graines de la discorde furent semées dès le départ, du fait que les conquistadors, rangés derrière Cortés, s'empressèrent d'oblitérer les restes de l'héritage indien; six mois seulement après leur conquête, la ville de Mexico, la future capitale de la Nouvelle-Espagne, s'élevait déjà peu à peu sur les ruines de Tenochtitlán. Une cathédrale s'érigeait à l'emplacement du temple de Huitzilopochtli. Non loin était édifié un splendide palais pour servir de résidence à Cortés et, après lui, à une longue succession de vice-rois d'Espagne.

Les immigrants espagnols ne recevaient aucune contribution de la couronne; en contrepartie de leur labeur ils étaient censés prendre leur part de butin sur ce qui restait des trésors aztèques une fois que le roi en avait prélevé le principal. Après avoir fait le partage de l'or et des joyaux trouvés dans le palais de Moctezuma, Cortés, avec

Nahua

l'accord peu empressé des autorités de la couronne, distribua à ses hommes un certain nombre des 370 villes qui payaient tribut à leur empereur. L'opération fut appelée *la encomienda* — l'attribution. Les populations indiennes qui y vivaient furent requises de verser à leurs nouveaux maîtres espagnols un impôt annuel, en marchandises et en nourriture, et de travailler pour eux gratuitement. Ainsi Cortés (qui s'octroya 22 encomiendas peuplées de 23 000 Indiens, désormais ses vassaux) et d'autres conquistadors de la première heure devinrent-ils, et de loin, les hommes les plus riches de tout l'empire espagnol. Ils espéraient bien exercer librement une longue domination sur leurs fiefs.

Pourtant, ils eurent bientôt à compter avec d'insatiables nouveaux venus qui recherchaient richesses et prestige. Cortés lui-même connut la disgrâce de Charles Quint, jaloux de préserver son autorité dans le Nouveau Monde. En 1535, le roi envoya un membre de sa famille, Don Antonio de Mendoza, gouverner à sa place. Cortés regagna l'Espagne avec l'espoir d'être rétabli dans ses fonctions et ses

Les Mexicains se caractérisent par la grande diversité de leurs origines ethniques. Des dizaines de sous-cultures indiennes subsistent encore, chacune s'exprimant dans son idiome particulier.

Maya

privilèges; mais ses efforts furent vains et il mourut en 1547, fabuleusement riche, mais frustré et amer.

Pendant les deux siècles et demi qui suivirent, plus de 300 000 Espagnols traversèrent l'Atlantique pour s'établir dans la Nouvelle-Espagne. Les plus éminents d'entre eux étaient mandatés par la couronne — vice-rois, juges, officiers supérieurs de l'armée — ou par l'Église, à la tête des diocèses. Ils passaient souvent le reste de leur vie loin de la mère-patrie, mais n'en continuaient pas moins à se considérer comme des Espagnols ou *peninsulares*, par référence à la péninsule ibérique. Pourtant, en dépit de leur résistance à toute assimilation, ils constituaient une classe dirigeante riche et puissante. Outre les bénéfices que leur conféraient leurs charges, ils se voyaient fréquemment

octroyer des terres, ainsi que les services des Indiens qui y résidaient, et ils pouvaient en acquérir d'autres à vil prix auprès de la couronne. Un certain marquis aurait ainsi acheté 90 000 hectares pour 250 pesos, la moitié du prix d'un cheval.

D'autres émigraient au Nouveau Monde

Tarahumara

dans l'espoir d'y acquérir des richesses et un rang que leur aurait dénié la bonne société espagnole. Pour eux aussi les terres étaient bon marché et certains purent en acheter assez pour constituer des *haciendas* — plantations de coton, de maïs, de canne à sucre, de blé et de sisal; d'autres entreprirent l'exploitation des riches filons argentifères des plateaux du Nord. Ces derniers finirent par constituer deux nouvelles classes sociales; les descendants des émigrants venus d'Espagne avec leurs épouses furent nommés *criollos* et, du fait même de la pureté de leur sang, s'identifièrent aux peninsulares. Ils étaient négociants ou occupaient un emploi de fonctionnaires de moindre importance. Nombre d'entre eux se firent membres du clergé parce que les curés de paroisse, les moines ou les frères éducateurs étaient exemptés d'impôts et bénéficiaient de l'immunité devant la loi. Mais ni l'Église ni l'État ne pouvaient accorder aux criollos de pouvoir réel, les plus hautes charges étant attribuées directement par la couronne.

Les enfants nés d'Espagnols et de femmes indiennes étaient appelés *mestizos* (de

Huave

sang mêlé), de même que ceux issus des relations des Blancs avec les esclaves africaines qui, au nombre de 150 000, pendant une brève période au début du XVIIᵉ siècle, travaillèrent dans les plantations de coton. Les métis pouvaient aspirer à la fortune

mais n'arrivaient pratiquement jamais à tenir des rôles politiques.

Au-dessous d'eux, il y avait les Indiens, qui se trouvaient placés sous la tutelle conjointe de l'Église et de l'État. Certains apprirent à parler espagnol et beaucoup se convertirent au christianisme. Ils fournissaient en fait un travail d'esclaves dans les haciendas, les mines et les manufactures de textiles. Ceux qui travaillaient la terre s'échinaient de l'aube au crépuscule sous une chaleur étouffante. Les mineurs mettaient souvent deux semaines pour se rendre à pied dans les exploitations et, une fois sur place, devaient pourvoir eux-mêmes à leur subsistance et à leur logement. Quant aux ouvriers du textile, il leur arrivait de rester confinés dans leurs ateliers 24 heures d'affilée.

Ainsi, en moins de deux générations après la conquête, quatre classes bien dis-

Zapotèque

tinctes coexistaient à l'intérieur des frontières du Mexique, quatre classes dont les intérêts étaient inconciliables, ce qui, par la force des choses, entraîna d'amers conflits. Les peninsulares méprisaient les criollos pour être nés dans le Nouveau Monde ; et les criollos reprochaient aux peninsulares leurs airs supérieurs. Ils les appelaient *gachupines* — porteurs d'éperons (les éperons, coûteux accessoires portés avec ostentation par les nobles espagnols, étaient superflus dans un pays où l'on montait couramment à cru, à la manière indienne). Les mestizos, issus de deux cultures, ne se reconnaissaient dans aucune d'elles. Les Indiens, pour leur part, relégués sans appel tout en bas de l'échelle sociale, se sentaient spoliés de leurs terres et de leurs traditions.

En dépit de ces barrières, les quatre classes vivaient côte à côte en plus ou moins bonne intelligence et la colonie prospérait. Vers la fin du XVIIIᵉ siècle, elle assurait la moitié de la production mondiale d'argent et les deux tiers des revenus de l'Espagne. Le nombre total des habitants de la Nouvelle-Espagne s'élevait à près de 6 millions, dont environ 58 pour

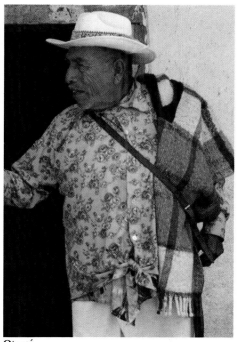

Otomí.

4

cent d'Indiens, 25 pour cent de mestizos et 17 pour cent de criollos ; moins de 0,25 pour cent étaient des peninsulares. La quasi-totalité des terres appartenaient aux 15 000 personnes de la classe supérieure de race blanche, les peninsulares et les criollos. Un évêque de l'époque reconnaissait deux groupes dans cette population : « Ceux qui ne possèdent rien et ceux qui ont tout. » Et le naturaliste allemand Alexandre von Humboldt, qui séjourna cinq ans au Nouveau Monde et visita le Mexique, note que la différence tenait uniquement à la couleur de la peau. « Un Blanc », écrit-il, « même s'il monte pieds nus à cheval, se considère comme affilié à la noblesse du pays. »

Il n'empêche que les criollos, de plus en plus nombreux, devenaient étrangers à la mère-patrie. Non seulement les airs supérieurs que prenaient les gachupines les irritaient mais ils supportaient mal les lourds impôts qui grevaient leurs biens et ils revendiquaient le droit de diriger eux-mêmes leurs propres affaires. Ainsi, les premières fissures dans l'ordre économique et social rigoureux furent-elles le fait non de la grande masse des exploités mais des criollos mécontents — des prêtres, des enseignants et de quelques officiers généralement aisés et cultivés mais dépourvus de toute influence politique. Ils étaient inspirés par les succès de la Révolution française et de la guerre d'Indépendance américaine et encouragés par la situation désastreuse de la mère-patrie. Quand en 1808 l'empereur Napoléon envahit l'Espagne et fit prisonnier le roi, l'autorité de la couronne se relâcha, ce qui incita les criollos à fomenter des complots dans le but de s'affranchir du joug espagnol.

Plus d'une centaine de conspirations et de rébellions furent tentées pendant l'époque coloniale qui, toutes, avortèrent par manque de vrais chefs. Le premier mouvement indépendantiste digne de ce nom fut l'œuvre de Miguel Hidalgo y Costilla, homme d'un certain âge et curé de Dolores dans le centre-ouest de la colonie. Ce criollo de naissance et pro-indien de cœur enseignait à ses paroissiens à planter la vigne, à cultiver les vers à soie ou à tanner les peaux, aussi bien que le catéchisme. Quand il avait quelque loisir, il fréquentait un « club littéraire », où circulaient sans doute plus de pamphlets politiques que d'ouvrages de littérature. Parmi les autres membres du club se trouvaient un officier de cavalerie, quelques fonctionnaires subalternes, un épicier et un employé des postes, tous criollos et mécontents. Pendant l'été 1810, ils mirent sur pied le projet d'un soulèvement armé prévu pour décembre. Mais le complot fut éventé début septembre et un grand nombre de conspirateurs furent arrêtés.

Hidalgo fut averti dans le courant de la nuit du 15 septembre que les autorités royalistes approchaient de son village avec l'intention de l'arrêter. Aussi, à l'aube du lendemain qui était un dimanche, il fit sonner les cloches de son église à toute volée. Ce n'était pas pour annoncer la messe à ses paroissiens, mais pour les inciter, au contraire, à se battre sans plus attendre pour l'indépendance. « La providence nous envoie aujourd'hui un nouveau décret », expliqua-t-il à la population. « Voulez-vous récupérer les terres qui ont été volées il y a trois cents ans à vos ancêtres par ces maudits Espagnols ? Nous devons agir sur-le-champ. A bas le gouvernement détestable ! A bas les gachupines ! »

Les fidèles indiens du curé de Dolores répondirent à son appel avec une ferveur imprévue. Ils se munirent en hâte de bâtons, de machettes et de pelles et, conduits par Hidalgo, ils se mirent en marche, prêts à foncer sur les Espagnols.

Hidalgo était un idéaliste animé des meilleures intentions mais dépourvu de l'étoffe d'un chef, et il fut incapable de contrôler l'insurrection qu'il avait déclenchée. Son armée improvisée, grossie en route par de nouvelles recrues venant des haciendas et des mines, se transforma en une horde sauvage, ravageant les villes les unes après les autres, massacrant sans discrimination sur son passage civils et militaires. Dans la seule ville de Guanajuato, on dénombra 2 500 personnes tuées.

Vers la fin octobre, les forces incontrôlées de Hidalgo, qui comptaient désormais 80 000 hommes, atteignirent Mexico, le bastion de l'armée royaliste. Alors Hidalgo hésita. Déjà horrifié par l'œuvre de mort et de désolation accomplie par ses fidèles, il semble qu'il ait redouté de nouvelles atrocités dans la capitale, car il dispersa ses hommes vers le nord-ouest, et devant son indécision la troupe s'effrita. Hidalgo fut arrêté et exécuté. Les royalistes, résolus à donner à d'autres insurgés éventuels un sérieux avertissement, plantèrent la tête du prêtre au bout d'un piquet et l'exhibèrent sur un mur calciné de Guanajuato, la ville même où il avait remporté sa première grande victoire.

Le flambeau de la révolte fut repris par un autre conspirateur, José María Morelos. Comme Hidalgo, Morelos était un curé de village, mais il se révéla meilleur stratège et esprit plus positif, politiquement et militairement, que son prédécesseur. Il leva une petite armée, l'entraîna aux pratiques de la guérilla et, en 1813, il parvint à couper les communications de Mexico avec les deux côtes. Entre-temps, il avait formulé les principes authentiquement révolutionnaires d'une république sans classes où toutes les terres seraient restituées aux Indiens. Il provoqua alors la réunion d'une assemblée à Chilpancingo, dans les montagnes de l'ouest, pour rédiger et publier une déclaration d'indépendance et une constitution.

Les criollos, qui n'avaient pourtant pas hésité à répandre le sang, furent consternés

devant la nouvelle tournure des événements. S'ils souhaitaient échapper au contrôle de l'Espagne dans la conduite de leurs affaires, ils redoutaient une révolution sociale qui risquait de remettre en cause la propriété de leurs terres, leur fortune et leurs privilèges. Pour cette raison, Morelos perdit leur soutien. Il lança alors un vibrant appel aux mestizos, ses frères, invoquant le nom vénéré de l'empereur Moctezuma, pour les inciter à venger trois siècles d'esclavage.

Pendant que les délégués réunis à Chilpancingo ergotaient sur les termes de la future constitution, l'armée royaliste effectua une soudaine sortie de Mexico et se lança dans une série d'offensives vigoureuses destinées à récupérer les cités tombées entre les mains des rebelles — y compris Chilpancingo. La révolution fut étouffée dans l'œuf et Morelos dut aller se cacher dans la nature. En automne 1815, un an et demi plus tard, l'armée s'empara de lui et le fit passer en cour martiale; il fut condamné pour haute trahison et envoyé au poteau d'exécution à Mexico.

Au cours des cinq années suivantes, le mouvement d'indépendance fut dépourvu de leader et se manifesta seulement, ici et là, par quelques escarmouches intermittentes mais sanglantes, selon la tactique de la guérilla. Puis en 1821, au moment où l'on s'y attendait le moins, l'indépendance fut enfin réalisée — bien que d'une manière toute différente de celle qu'avaient envisagée les deux prêtres qui avaient fait, en son nom, le sacrifice de leur vie.

A présent, les criollos étaient de nouveau favorables à l'indépendance — parce que, avec le temps, ils avaient oublié la sauvagerie des premiers affrontements et parce que le *statu quo* de la mère-patrie s'était modifié. Les desseins de Napoléon sur l'Espagne avaient tourné court et la noblesse pressait le souverain en exercice, Ferdinand VII, de procéder à des réformes constitutionnelles. Toute avancée vers la démocratie en Espagne ne pouvait que

bénéficier aux colonies. En tout état de cause, et profitant du fait que le roi d'Espagne faisait par ailleurs l'objet de maintes pressions, les criollos crurent bon d'embrasser à nouveau la cause de l'indépendance. Ils se rallièrent aux côtés d'un des leurs, Agustín de Iturbide, un colonel ambitieux de l'armée royaliste qui combattait à l'occasion les insurgés nationalistes depuis plus de dix ans.

Envoyé par le vice-roi avec 2500 hommes de troupes pour mater une insurrection à Oaxaca, Iturbide entrevit la possibilité de s'emparer du pouvoir. Il tourna casaque et pactisa avec le chef des guérilleros, Vicente Guerrero, pour la fusion de leurs forces sous ses ordres, dans une lutte commune en faveur de l'indépendance, à condition, le moment venu, d'en dicter lui-même les termes. Il esquissait les grandes lignes d'une future monarchie constitutionnelle au Mexique, avec le catholicisme comme religion d'État, l'égalité entre criollos et peninsulares; et ce serait lui qui commanderait l'armée *El Ejército de las Tres Garantías* (l'armée des trois garanties).

Les événements s'enchaînèrent favorablement. Le colonel Iturbide entra sans coup férir à Mexico le 27 septembre 1821 et se plaça à la tête d'un nouveau gouvernement indépendant. La colonie renonça à son nom de Nouvelle-Espagne et se déclara État souverain du Mexique — d'après le mot par lequel les Aztèques se désignaient eux-mêmes.

Son indépendance avait coûté fort cher au Mexique: 600000 vies humaines en l'espace de onze années de rébellion incessante, selon certaines estimations — et ces flots de sang apportèrent peu de modifications aux structures sociales préexistantes. Nombre de peninsulares regagnèrent la métropole, emportant avec eux autant de lingots d'argent qu'ils en pouvaient transporter et laissant vides les coffres de l'État. De leur côté, les criollos s'enrichi-

LES GRANDES DATES DE L'HISTOIRE DU MEXIQUE

20000 av. J.-C. Arrivée de chasseurs dans le plateau central du Mexique. Les Paléoindiens, descendants de migrants venus d'Asie par le détroit de Béring qu'on franchissait alors à pied sec, se servaient d'armes rudimentaires.

5000 av. J.-C. Apparition de l'agriculture.

1500 av. J.-C. Les tribus nomades se sédentarisent, entretiennent des échanges commerciaux et fabriquent des objets de céramique, beaux et utiles.

900-400 av. J.-C. La civilisation olmèque s'épanouit près du littoral du golfe, au sud de Veracruz et dans le Tabasco. Les Olmèques sculptent des têtes de pierre (*ci-dessous*) et édifient d'impressionnants centres

cérémoniels. Introduction de l'écriture.

Vers 200 av. J.-C. Teotihuacán, dont les origines demeurent mystérieuses, devient le centre politique et culturel du plateau central. Une immense conurbation entoure par la suite un ensemble de temples en forme de pyramides, ornés de fresques et de sculptures polychromes.

600-900 ap. J.-C. La culture maya, implantée au sud-est du Mexique et dans une partie de l'Amérique centrale, connaît le sommet de son épanouissement et produit de majestueux édifices, des fresques, des bas-reliefs et un calendrier.

Vers 900 Des guerriers venus du nord, les Toltèques, envahissent le plateau central, conduits par le puissant Mixcóatl. Son fils, Topiltzin, devient le grand prêtre du culte rendu au dieu Quetzalcóatl, qui aurait créé l'homme à partir de son propre sang. Topiltzin fonde la ville de Tula vers 968 et contrôle le centre du Mexique.

987 Sur le point d'entrer en conflit avec les adeptes de Tezcatlipoca, le dieu sanguinaire et guerrier des Toltèques, les fidèles de Topiltzin émigrent dans la péninsule du

Yucatán, favorisant ainsi la renaissance de la grande civilisation maya.

1168-1179 La capitale toltèque de Tula tombe entre les mains d'une nouvelle vague d'envahisseurs fortement organisés et venus du nord, les Chichimèques.

1345 Les Aztèques, descendants des Chichimèques, fondent Tenochtitlán sur les lieux où ils voient un aigle perché sur un

nopal (*ci-dessus*), suivant la prédiction de leur dieu Huitzilopochtli.

1427 Itzcóatl, l'un des plus remarquables chefs aztèques, bâtit un empire qui remplira de stupeur, un siècle plus tard, Hernán Cortés et les conquistadors espagnols (*ci-dessous*).

1519 L'empereur aztèque Moctezuma II se montre conciliant avec les Espagnols, attitude qui entraînera l'écroulement de son empire en 1521.

1523 Arrivée des premiers missionnaires espagnols venus évangéliser les Indiens, qui seront convertis par millions au christianisme avant la fin du siècle.

1531 Un Aztèque converti fait part à son évêque d'une apparition de la Vierge Marie au teint basané. Le prélat ordonne l'édification d'une basilique dans la ville de Guadalupe. Les Indiens considèrent que cette manifestation est une bénédiction et dès lors le culte de la Vierge de Guadalupe devient un facteur d'unification entre les catholiques mexicains.

1535 Don Antonio de Mendoza, premier vice-roi de la Nouvelle-Espagne. Vers 1550, le gouvernement de la colonie est fermement implanté, politiquement stable et économiquement prospère.

1767 Les jésuites sont expulsés du Mexique sur ordre du roi d'Espagne Charles III en raison de leurs activités politiques.

1810 Le père Miguel Hidalgo y Costilla appelle les Indiens et les *mestizos* à se révolter contre la domination espagnole. La lutte durera onze ans.

1821 Le Mexique accède à l'indépendance avec la signature du traité de Córdoba entre le capitaine général de la Nouvelle-Espagne et le chef des insurgés, le colonel Agustín de Iturbide.

1822 Iturbide se proclame empereur du Mexique. Son règne mouvementé ne durera que sept mois.

1824 Les dix-neuf États et les quatre territoires du Mexique se constituent en république fédérale.

1829 Les troupes espagnoles tentent de reprendre le Mexique mais elles sont repoussées par celles du général Antonio López de Santa Anna (*ci-dessous*).

1833 Santa Anna est élu président de la république et entame une carrière politique mouvementée où il perdra et regagnera le pouvoir onze fois en vingt ans.

1846-1848 Le Mexique, en conflit avec les États-Unis, essuie une coûteuse défaite. Aux termes du traité de Guadalupe-Hidalgo, il doit abandonner plus de la moitié de ses territoires du nord comprenant, entre autres, le Texas, le Nouveau-Mexique et le nord de la Californie.

1857 Mise en place d'une nouvelle Constitution. Celle-ci prévoit une assemblée

législative et définit pour la première fois dans la république du Mexique, les Droits fontamentaux du citoyen.

1858-1861 Benito Juárez (*ci-dessus*), un Indien zapotèque, fut l'un des principaux artisans du mouvement de la Réforme. Après la séparation de l'Église et de l'État, qui provoque une guerre de trois ans entre libéraux et conservateurs, il sera élu président de la république.

1861 Le Mexique vient de suspendre le remboursement de ses dettes extérieures, parfois vieilles d'un demi-siècle. En représailles, des troupes espagnoles, britanniques et françaises occupent Veracruz. Les Anglais et les Espagnols finissent par se retirer; les Français s'enfoncent vers l'intérieur.

1863 Les Français contrôlent le pays. Napoléon III, qui poursuivait ce but en envahissant le pays, fait nommer l'archiduc Maximilien d'Autriche, gendre du roi des Belges, empereur du Mexique.

1867 Benito Juárez reprend le pouvoir alors que l'empereur Maximilien est passé par les armes à Querétaro.

1876 Porfirio Díaz accède à la présidence et la conservera 35 ans, stabilisant le pays et améliorant son image à l'étranger.

1884 Le Mexique autorise la prospection systématique des gisements pétroliers par des compagnies étrangères. A partir de 1900, l'exploitation commence grâce à des capitaux américains et britanniques.

1910 La révolution mexicaine éclate et le président Díaz est renversé. C'est le début d'une guerre civile qui se prolongera pendant dix ans, et où les masses rurales et les réformistes des classes moyennes affrontent les conservateurs, tout en s'opposant entre forces alliées, pour conquérir l'hégémonie politique.

1914 Emiliano Zapata, à la tête de soldats paysans du sud, et Pancho Villa, le chef des rebelles du nord, forment une alliance éphémère pour déposer Venustiano Carranza et son gouvernement provisoire. Pendant la Révolution, les armées insurgées occupent Mexico à cinq reprises.

1915 Au cours de la bataille de Celaya, le plus célèbre engagement militaire de la Révolution, les rebelles de Pancho Villa lancent par deux fois une offensive contre les troupes constitutionnalistes d'Alvaro Obregón et enregistrent de lourdes pertes.

1917 La nouvelle Constitution rend l'instruction obligatoire et prévoit la redistribution des terres et une modification des lois du travail agricole. Elle limite les privilèges du clergé et freine l'afflux des investissements étrangers.

1918 Luis Morones fonde le premier syndicat de travailleurs du Mexique.

1920 Alvaro Obregón accède à la présidence et entreprend de relever le pays. Des écoles et des bibliothèques sont créées, les terres sont redistribuées, et le nombre des travailleurs syndiqués connaît un accroissement considérable.

1926 L'archevêque du Mexique, pour protester contre l'anticléricalisme des pouvoirs publics, appelle le clergé à la grève. La rébellion *cristero* qui s'ensuit oppose dans de violents affrontements les guérilleros, défenseurs du catholicisme, et les troupes gouvernementales.

1929 Le président Plutarco Elías Calles instaure un parti politique national officiel, le *Partido nacional revolucionario* (PNR) qui deviendra par la suite le *Partido revolucionario institucional (PRI)*.

1934 Lázaro Cárdenas accède à la présidence et, dans le cadre de la réforme agraire, redistribue quelque 25 millions d'hectares de terre aux paysans en l'espace de six années.

1938 Le président Cárdenas nationalise l'industrie pétrolière.

1942 Le Mexique entre en guerre aux côtés des forces alliées.

1946-1952 Miguel Aléman, le premier civil à devenir président depuis 45 ans, favorise une politique d'industrialisation et de productivité au détriment de la réforme agraire. Le gouvernement commandite un

ensemble de travaux publics: barrages, autoroutes, installations hydro-électriques, et s'emploie à améliorer et à augmenter le réseau de communications.

1955 Proclamation de l'égalité de la femme avec l'homme, après plusieurs années de lutte active menée par les mouvements féministes dans tout le pays.

1968 Les Jeux olympiques d'été (*ci-dessous*) se tiennent à Mexico. Pour recevoir dignement les athlètes des pays participants, le pays dépense entre 150 et 200 millions de dollars dans la construction d'installations

sportives, d'hôtels et d'un réseau de métro urbain.

1972 Le gouvernement lance une campagne pour sensibiliser la population au contrôle des naissances. En une décennie la natalité a chuté de près de moitié.

1981 Le pétrole, dont la production a quadruplé en moins de dix ans, est le principal produit d'exportation (*ci-dessous*).

1982 Une inflation galopante entraîne de nombreuses dévaluations du peso. Le président Miguel de La Madrid Hurtado adopte une politique de redressement économique fondée sur la réduction de la dette extérieure par la limitation des dépenses publiques et des importations.

4

rent encore plus en s'emparant des terres abandonnées par les peninsulares. Quant à l'Église, elle conserva ses privilèges qui l'exemptaient d'impôts et assuraient son immunité devant la loi.

Iturbide décréta que le Mexique était un empire et se proclama lui-même empereur, sous le nom d'Agustín Ier. Mais son règne fut bref: sept mois plus tard, il fut renversé et l'empire aboli. Une ère de troubles s'instaura, où les libéraux s'opposaient aux conservateurs, les républicains aux monarchistes, les fédéraux aux centralistes, les anticléricaux aux champions des privilèges du clergé. L'indépendance ayant été en grande partie rendue possible grâce à l'armée, les officiers allaient jouer un rôle prépondérant au gouvernement pendant le siècle suivant. Les trente premières années virent se succéder des dictateurs militaires, ou *caudillos*, qui se donnèrent le titre de président et appelèrent à des élections générales pour officialiser leurs fonctions, jusqu'à ce qu'un autre des leurs vienne les renverser — processus qui se reproduisit plus de quarante fois.

Au cours de cette période troublée, le Mexique perdit plus de la moitié de sa superficie: le Texas proclama son indépendance, les territoires de l'Arizona, ceux du Nouveau-Mexique et de la Californie furent réunis aux États-Unis en contrepartie de sommes dérisoires (28 millions de dollars au total). Le Mexique ne se dota qu'en 1857 d'une Constitution susceptible d'étayer une certaine stabilité politique et d'un chef pour la faire respecter. Celui-ci se nommait Benito Juárez.

Juárez, né à Oaxaca, était un authentique Indien zapotèque et, à bien des égards, un homme extraordinaire. Orphelin à l'âge de trois ans, il aurait fort bien pu travailler toute sa vie durant dans une hacienda appartenant à un criollo. Mais à douze ans il fut placé en tant que serviteur dans la maison d'un franciscain qui se prit

d'affection pour lui. Il apprit à lire, put fréquenter l'école grâce à l'aide du prêtre et faire des études de droit qui le conduisirent à la carrière politique.

En 1856, à Mexico, Juárez fut nommé ministre de la Justice par un caudillo plus ou moins libéral, et il participa à la rédaction de la Constitution de 1857, qui prévoyait l'élection d'un corps législatif par des représentants municipaux et celle d'un président, au mandat limité, par le corps législatif. La Constitution proclamait l'abolition des titres de noblesse et, pour la première fois dans l'histoire du Mexique, garantissait un certain nombre de droits fondamentaux, dont la liberté de parole et de réunion. Désormais, le clergé et l'armée seraient justiciables devant la loi, et toutes les terres appartenant à l'Église, à l'exception de celles réservées à la célébration des cérémonies du culte, deviendraient la propriété du gouvernement et seraient remises aux Indiens.

Pendant plusieurs décennies, la Constitution ne fut respectée que fortuitement. Au Mexique, en effet, peu d'hommes influents étaient disposés à soutenir une législation aussi libérale, et les conservateurs, ses farouches opposants, fomentèrent diverses luttes intestines qui devaient harasser le pays pendant trois ans: dès 1857, ils parvinrent à renverser le gouvernement libéral de Mexico. Ses membres, chassés de la capitale et refoulés dans le nord par une armée aux ordres des conservateurs, refusèrent pourtant de se déclarer vaincus. Ils nommèrent Benito Juárez président; celui-ci prit l'habitude de se déplacer d'une capitale temporaire à l'autre dans une simple voiture noire. Ce n'est qu'en 1861, à la faveur des succès militaires des libéraux, qu'il put regagner Mexico.

Presque aussitôt, Juárez fut confronté à de nouvelles difficultés: la menace d'une intervention étrangère. Les caisses étaient vides après tant d'années de guerres et de

mauvaise gestion sous la conduite de ses aventureux prédécesseurs; la troupe, les fonctionnaires et les forces de police n'avaient pas été payés depuis des mois. Le président décréta aussitôt un moratoire de deux ans relatif au paiement de la dette étrangère, et des dédommagements pour faits de guerre consentis à certains propriétaires anglais ou français.

Irrité par l'arrêt des remboursements, l'empereur Napoléon III profita de ce prétexte pour tenter de s'implanter dans le Nouveau Monde. Ses troupes débarquèrent à Veracruz en janvier 1862, et le gouvernement de Juárez dut reprendre en direction du nord le chemin de l'exil. Les conservateurs, voyant là une opportunité de regagner leurs anciens privilèges, se liguèrent pour convertir Mexico en un État fantoche ayant partie liée avec la France, à la tête duquel ils choisirent de placer l'archiduc Maximilien d'Autriche, alors âgé de 30 ans, un frère cadet de l'empereur François-Joseph qui ne pouvait prétendre à la couronne. En outre, ce Habsbourg, apparenté à la famille royale espagnole, était un candidat agréable tant aux conservateurs mexicains qu'à Napoléon III qui cherchait alors à se concilier les bonnes grâces de l'Autriche. Enfin, tous les partis intéressés s'accordaient à reconnaître Maximilien peu intelligent, et par conséquent facile à manipuler.

Celui-ci se présenta à Mexico avec l'apparat correspondant à son rang, visita la ville dans un carrosse chamarré, en compagnie de sa jeune épouse, Charlotte, et il établit sa cour au château de Chapultepec. Il y menait grand train, ce qui faisait naître le ressentiment dans le cœur des nombreux indigents. Bientôt, les conservateurs qui l'avaient porté au pouvoir découvrirent avec déplaisir que Maximilien manifestait des tendances résolument libérales: il encourageait la liberté de la presse et amnistiait les prisonniers politiques.

Des ouvriers indiens et métis travaillant dans une mine d'argent, aux alentours de 1890. Ce labeur harassant créa un climat d'agitation qui allait finalement trouver son exutoire dans la Révolution de 1910.

Lorsque le nonce apostolique vint de Rome pour réclamer la restitution des biens de l'Église confisqués en 1857, lors de la proclamation de la constitution, Maximilien scandalisa tout le monde en refusant d'obtempérer.

Ces procédés lui aliénèrent les conservateurs mêmes qui l'avaient soutenu, sans pour autant lui concilier les libéraux, trop désireux de le renverser pour porter la moindre action à son crédit.

Entre-temps, les troupes françaises, sur le soutien desquelles reposait le nouveau régime, connaissaient bien des déboires.

Elles avaient débarqué au début de l'année 1862 et les effectifs étaient à présent de 7 000 hommes. Mais, sans grande emprise sur le pays, elles ne pouvaient contenir la guérilla et étaient constamment harcelées. Pour comble, en mai, les Français essuyèrent une défaite sévère dans la ville de Puebla, une cité de manufactures de textile située dans la plaine sablonneuse à 100 kilomètres au sud-est de Mexico.

Replié dans le nord, Juárez était parvenu à réunir quelque 5 000 hommes qu'il envoya à Puebla pour tendre un piège aux Français. Ces derniers lancèrent leur cava-lerie à l'assaut de la ville, mais les Mexicains, qui se dissimulaient derrière des cactus géants, les prirent par surprise. Deux heures plus tard, les Français, ayant épuisé la moitié de leurs munitions en des affrontements confus, se débandèrent. Le héros du jour, un jeune général de brigade nommé Porfirio Díaz, allait profiter de cet exploit pour s'immiscer par la suite dans la conduite des affaires publiques.

Pendant ce temps, Napoléon III commençait à douter du bien-fondé de l'aventure. Les États-Unis ne lui avaient pas caché leur mécontentement de le voir s'éta-

4

blir au sud de leurs frontières, fournir des armes à Juárez et placer une armée de 100 000 hommes sur les rives du Rio Grande. Inquiet de cette attitude hostile et menacé dans son propre pays par les manœuvres prussiennes, Napoléon III commença dès 1866 à rapatrier ses troupes; dès lors, la situation de Maximilien devint intenable. L'année suivante, les libéraux défirent l'ultime garnison française et passèrent par les armes l'empereur.

En un contraste saisissant avec les déploiements de faste de Maximilien, Juárez effectua son retour à Mexico, le 15 juillet 1867, dans la simple voiture noire qui lui tenait lieu de bureau itinérant depuis quatre ans. Les foules se pressaient sur son passage avec des pancartes de bienvenue et des guirlandes de fleurs. Porfirio Díaz, le héros de Puebla, s'empressa de lui présenter le drapeau national qui fut hissé par le président lui-même au cri de « *Viva Mexico!* » La foule rugit d'enthousiasme. « Le peuple et le gouvernement respecteront les droits de chacun », déclara Juárez, qui promit de convertir le Mexique en un pays respectueux des lois.

Mais cette promesse n'était pas facile à tenir. Juárez rendit l'instruction obligatoire, libre et indépendante de l'Église et fut en conséquence taxé d'anticléricalisme. Il démobilisa l'armée, pour constater bientôt que ces hommes, qu'il avait cru restituer à la terre, devenaient des bandits qui pillaient les campagnes. Pourtant, il conserva l'amour de son peuple, et fut réélu à deux reprises. Il mourut à la tâche, d'une crise cardiaque, en 1872, après avoir présidé aux destinées de son pays pendant près de quinze années.

Juárez fut remplacé par son successeur désigné, le procureur général Sebastián Lerdo de Tejada, que sa grande connaissance des arguties juridiques ne servit guère. En 1876, avant même l'expiration de son mandat, il fut renversé par un putsch militaire conduit par Porfirio Díaz.

Díaz était de sang indien et, comme Juárez, natif de l'État d'Oaxaca. De formation juridique lui aussi, il ne possédait cependant pas la croyance mystique de son prédécesseur en la souveraineté de la loi. Il s'empara du pouvoir par la force et, toujours par la force, et aussi par la ruse, le conserva, pendant trois décennies. Il sut plaire à l'Église en faisant fi des réformes libérales de la Constitution et en permettant la réouverture des écoles religieuses. Contrairement à Juárez, qui s'était désintéressé des militaires, il remobilisa l'armée et confia à ses généraux des postes de commandement permanents, mais il les dissémina prudemment dans les garnisons éloignées du pays, afin qu'ils ne se liguent pas pour le renverser *manu militari*.

Díaz tourna si bien les lois à son profit qu'il appelait les membres de son gouvernement « *mi caballada* » — (ma troupe de chevaux bien dressés). Il jugula la presse en faisant emprisonner — et parfois assassiner — les journalistes qui osaient le critiquer. Enfin, pour contrôler le banditisme qui sévissait dans les provinces et présentait une sérieuse menace pour l'armée, il organisa une force de police redoutable appelée *los rurales*.

Cette politique de fier-à-bras comportait cependant des aspects positifs, car les 55 années de troubles précédant son arrivée au pouvoir avaient laissé la nation exsangue. Les coffres de l'État étaient vides. Díaz rétablit la paix dans les campagnes, restaura les finances du pays et ranima l'industrie moribonde. Il équilibra le budget national, remboursa presque intégralement la dette extérieure et institua un régime fiscal propre à encourager les investissements étrangers, lesquels, en 1910, s'élevaient à 1,3 milliard de dollars. Du même coup, par cette dernière mesure, le savoir-faire technologique avait fait son entrée dans le pays.

Lorsque Porfirio Díaz accéda au pouvoir, le Mexique ne comptait que 600 kilomètres de voies ferrées archaïques, reliant Mexico à Veracruz. Partout ailleurs, les marchandises devaient être acheminées à dos de mule ou dans des carrioles tirées par des bœufs — un mode de transport réputé lent partout dans le monde, mais plus encore au Mexique où seuls des sentiers étroits et sinueux permettaient de franchir montagnes et ravins. Quand il abandonna la présidence, en 1911, le réseau ferré — financé essentiellement par des capitaux étrangers — était porté à près de 25 000 kilomètres.

Grâce aux chemins de fer, l'industrialisation du pays s'accéléra. La production d'argent quadrupla, celle de l'industrie textile tripla. On développa des ressources jusqu'alors inexploitées — le plomb, le zinc et le pétrole. De nouvelles industries furent créées, celles notamment de l'acier et du cuivre. Dans l'ensemble, le volume d'objets manufacturés doubla.

Mais cette prospérité profita surtout aux nantis — les investisseurs étrangers et les criollos. Ces derniers, de plus en plus avides, tournèrent à leur avantage les lois agraires édictées par les « chevaux bien dressés » de Porfirio Díaz pour agrandir encore leurs immenses propriétés.

Une loi fut promulguée en 1883, en vue de procéder à l'arpentage des terres sur le territoire national. Selon ses termes, n'importe qui pouvait obtenir un contrat du gouvernement pour participer à l'établissement du casdastre public et il recevait, en contrepartie de cet effort, le tiers des terres arpentées. Les deux autres tiers revenaient d'office à l'État qui se réservait le droit de revendre à vil prix des lots pouvant couvrir jusqu'à 2 500 hectares. En neuf ans, près de 55,5 millions d'hectares furent ainsi attribués aux amis de Porfirio Díaz et à des étrangers. Au total, entre 1883 et 1894, le cinquième des terres cultivables du

Mexique devint la propriété de quelques centaines de familles riches. L'une d'elles, par exemple, possédait plus de 50 *ranchos*, couvrant 3 millions d'hectares, où paissaient 500 000 têtes de bétail, 225 000 moutons, ainsi que 25 000 chevaux.

Déjà, plus de la moitié de la population rurale vivait du péonage dans les grandes haciendas. Lorsque le régime de Porfirio Díaz fut renversé, à peine 10 pour cent d'Indiens possédaient leurs propres terres. Perpétuellement endettés, ceux-ci étaient tenus par la loi de servir en tant que péons dans les immenses propriétés aussi longtemps qu'ils devraient aux *hacendados*, leurs maîtres, le moindre *centavo*.

Les très nombreux Indiens qui contribuaient à l'exploitation des mines et à l'essor industriel n'étaient pas mieux lotis: ils travaillaient 12 heures par jour, 7 jours par semaine. Si, pour tenter d'améliorer leur condition, ils se mettaient en grève, ils risquaient de mourir fusillés par les *rurales* ou par la troupe. Il était légitime que le mécontentement grondât un peu partout en sourdine, cependant que le pouvoir de Porfirio Díaz demeurait incontesté. En fait, il le conserva si longtemps que le peuple se mit à l'appeler Don Perpetuo, se demandant s'il était en place pour toujours. En 1908, âgé de 78 ans, il confia cependant à un journaliste américain qu'il songeait à se retirer à la fin de son mandat, soit deux ans plus tard.

Certains le crurent sur parole, en particulier un criollo du nom de Francisco Madero, propriétaire de ranchos, qui appartenait à l'une des plus riches familles mexicaines. Sur le plan social, Madero se distinguait de ses semblables par le souci qu'il prenait de ses ouvriers. Non seulement il acceptait de prendre connaissance des réclamations écrites contre les injustices, mais il s'efforçait également de réparer les torts commis. Il s'adonnait au spiritisme et croyait fermement à une prédiction selon laquelle il deviendrait président de la République. Lorsqu'il apprit que Porfirio Díaz parlait de se retirer, il travaillait justement à la rédaction d'un livre intitulé *La Succession présidentielle en 1910*.

Il s'agissait en fait d'un modeste opuscule dont la plus grande hardiesse consistait à suggérer aux partis politiques de procéder à l'élection d'un vice-président pour succéder à Díaz, et de limiter à un seul mandat non renouvelable l'exercice de la présidence. Pourtant, dès sa parution, au début de l'année 1909, ce petit ouvrage connut un certain succès. On salua en Madero «l'apôtre de la démocratie», et on le poussa à se porter candidat à la présidence. Il avait pour opposant Díaz lui-même, décidé à se présenter une fois encore. Devant l'accueil populaire fait à Madero, Díaz le fit emprisonner sous le prétexte d'incitation à la révolte.

Mais Madero parvint à s'évader et, déguisé en employé des chemins de fer, il gagna la frontière et se réfugia à San Antonio, au Texas, où il se proclama président provisoire et invita le peuple mexicain à prendre les armes pour renverser le régime de Porfirio Díaz. Selon les plans minutieux qu'il mit au point, l'insurrection devait commencer le dimanche 20 novembre 1910, à 6 heures du soir.

Le mot d'ordre fut suivi dans un esprit

4

de vengeance; et c'est ainsi que fut déclenchée la révolution mexicaine, la plus sanglante et la plus équivoque des guerres intestines au sein d'une nation déjà trop portée au désordre et aux effusions de sang. Tout le monde s'en mêla: les va-nu-pieds indiens en *sarape*, les boutiquiers petits-bourgeois en costume de ville, les *rancheros* au chapeau à larges bords, les anciens bandits, la poitrine bardée de cartouchières, les modérés et les réformateurs, comme Madero, qui cherchaient seulement à restaurer la démocratie, et les radicaux qui voyaient dans cette effervescence l'occasion de balayer les vieilles structures. Vit-on jamais des êtres aussi dissemblables par l'origine, l'éducation, les activités, les ressources, l'appartenance sociale et même les aspirations prendre les armes ensemble? Mais un même désir les unissait: renverser Porfirio Díaz et construire une nation moderne.

Les rebelles n'avaient ni plan de bataille ni entraînement, et bien peu de moyens. Ils vécurent de chapardage et se familiarisèrent, en combattant, avec les techniques de la guérilla. C'étaient des hommes sans merci: meurtres, incendies, pillage et viols, et exécution des prisonniers.

A titre d'exemple, cette action d'un général de l'État de Chihuahua dont les hommes firent tomber dans une embuscade et exterminèrent un important détachement fédéral: il fit déshabiller les cadavres des ennemis et confectionna un ballot de leurs uniformes qu'il envoya à Mexico avec ces mots à l'adresse de Porfirio Díaz: «Voici les enveloppes, envoyez d'autres *tamales*!» (plat mexicain composé de semoule cuite à l'étuvée dans une feuille de maïs et fourrée de viande émincée et de piment).

L'armée de Díaz, conduite par des officiers aussi âgés que lui, n'était pas de taille à lutter contre les hordes de rebelles en haillons. Moins de six mois après le début de la Révolution, Díaz démissionna et prit la fuite. «Madero a lâché un tigre», commenta-t-il amèrement sur le chemin de

Veracruz avant de s'embarquer pour l'Europe. «Nous allons voir s'il parviendra à le dompter.»

Madero avait certes déclenché les événements, et on voyait à maints indices qu'il les contrôlait mal. Des rivalités personnelles et idéologiques séparaient déjà ses révolutionnaires. En outre, son arrivée dans la capitale fut saluée par un tremblement de terre qui fit de nombreux dégâts et renversa l'estrade érigée pour la circonstance — ce qui parut à certains comme un signe de mauvais augure.

Pendant ses seize mois de présidence, Madero dut faire face à six rébellions majeures, tantôt fomentées par la droite, tantôt par la gauche, et l'une d'elles conduite par Félix Díaz, le neveu du dictateur déchu. Pour les combattre, il nomma général en chef Victoriano Huerta, un mestizo large d'épaules et grand buveur qui possédait une série de tripots et qui arrondissait ses bénéfices, déjà substantiels, par des profits tirés de l'armée: il avait obtenu pour un de ses fils les contrats d'approvisionnement en armes et en munitions et pour un autre la fourniture des uniformes.

Aussi porté à la traîtrise qu'à la cupidité, Huerta se retourna bientôt contre Francisco Madero. Il le fit arrêter et s'empara du pouvoir. Trois jours plus tard, celui qui se voulait «l'apôtre de la démocratie» fut fusillé par les rurales au cours d'un simulacre d'évasion.

Le régime de Huerta fut plus brutal encore que celui de Porfirio Díaz. Il ordonna la dissolution du Congrès dont il fit arrêter la plupart des membres, ferma les tribunaux et déclencha une vague d'assassinats politiques. Dix jours après son arrivée au pouvoir, il avait déjà fait passer par les armes plus de 100 partisans de Madero, et s'était débarrassé du gouverneur libéral de la ville rebelle de Chihuahua en le faisant précipiter sous un train.

Des soldats zapatistes prennent le café dans l'un des restaurants Sanborn de Mexico. Les serveuses ont l'air effrayées par ces guerriers farouches qui, pourtant, se comportèrent de façon exemplaire pendant toute la durée de leur présence.

Ces actions provoquèrent un nouvel éclat de fureur et suscitèrent l'entrée en scène de personnalités nouvelles. Bientôt le Mexique fut de nouveau à feu et à sang, et la rébellion conduite par trois grands chefs de guerre capables et courageux, Emiliano Zapata, Pancho Villa et Alvaro Obregón. Leurs buts demeuraient imprécis, mais ils avaient un cri de guerre commun: *Tierra y liberdad!* (Terre et liberté!), cri qui pendant les dix années d'efforts visant à bousculer les structures sociales allait résonner à travers tout le pays.

Emiliano Zapata exerçait ses talents dans l'État de Morelos où il était né. Mince, brun de peau et bien musclé, c'était un ancien acrobate de rodéo devenu paysan. Il fut le plus généreux et le plus opiniâtre des grands chefs révolutionnaires, et le champion des revendications terriennes des Indiens.

Arborant fièrement le pantalon blanc et la chemise blanche des travailleurs agricoles et au cri de *Tierra y liberdad!*, les *zapatistas* attaquaient l'une après l'autre les haciendas. Si l'une d'elles se rendait, Zapata en expulsait les occupants et distribuait les terres aux paysans qui y travaillaient. Mais si on lui résistait, sa ténacité et sa férocité ne connaissaient pas de bornes. Une fois à l'intérieur d'une propriété, ses hommes la dévastaient et incendiaient la totalité des bâtiments et des récoltes.

Dans l'État septentrional de Chihuahua, Zapata avait un homologue: Pancho Villa. Fils d'un pauvre métayer, Villa se fit bandit dès l'âge de 16 ans et devint une sorte de Robin des Bois pour les Indiens.

«Dieu m'a fait naître pour la guerre», confia-t-il un jour à un journaliste, et il est clair qu'il passa toute sa vie à se battre. Son expérience de hors-la-loi, d'ailleurs, le servit bien pendant la Révolution. Ses rebelles détournaient les trains de l'armée fédérale, volaient le bétail et le revendaient au Nouveau-Mexique, au-delà de la frontière, pour acheter des armes. Il convertit sa Division du Nord en une remarquable armée de guérilleros, dotée d'une excellente artillerie ainsi que de trains-ambulances pour soigner les blessés.

A l'ouest, dans l'État de Sonora, les révolutionnaires étaient conduits par Alvaro Obregón, un criollo dégoûté par les abus de sa classe. Petit fermier et astucieux bricoleur, il était l'inventeur d'une machine à récolter les *garbanzos* (pois chiches). Devenu maire de la ville de Huatabampo, il faisait figure de nouveau venu sur la scène révolutionnaire. Au départ, les Indiens qui le suivaient ne possédaient que des arcs et des flèches, mais il eut tôt fait de les équiper de fusils, de munitions et autres pièces d'artillerie saisies en très grandes

4

quantités aux troupes fédérales défaites.

Au cours de la Révolution, Obregón et Villa eurent affaire à un homme plus imposant qu'eux — quoique moins populaire —, Venustiano Carranza, le gouverneur de l'État de Coahuila. A bien des égards, son ardeur révolutionnaire était surprenante, car il était issu d'une famille de riches propriétaires terriens. Élégant, avec des manières d'aristocrate, il aimait la bonne chère et se déplaçait à bord d'un train privé composé de trois wagons.

Carranza, plus politicien que soldat, souhaitait avant tout restaurer la Constitution de 1857. Il réussit à convaincre Villa et Obregón de former avec lui une vague alliance militaire, celle des constitutionnalistes, avec l'intention, en cas de succès, d'accéder à la présidence.

On était en 1913, et l'esprit révolutionnaire s'était désormais propagé dans tout le pays. Les *soldaderas* — les femmes qui suivaient les soldats lors de leurs déplacements — faisaient à présent partie intégrante des troupes belligérantes. Elles les accompagnaient partout, leurs enfants attachés dans le dos, pourvoyant, Dieu sait comment, aux approvisionnements, faisant la cuisine, la lessive et soignant les blessés. Elles acquièrent une telle importance que, lorsque le gouvernement de Huerta voulut les écarter des campagnes fédérales, les hommes menacèrent de se rebeller et obtinrent gain de cause.

Confrontées au nord, au sud et à l'ouest à des armées révolutionnaires bien commandées, bien déterminées et bien équipées, les forces de Huerta, essuyant défaite sur défaite, faisaient retraite sur tous les fronts. Le régime en place traversait également une crise économique particulièrement grave. Les mines fermaient et les champs n'étaient plus moissonnés. Les finances étaient au plus bas. Les armées rebelles et les banques nationales ou privées se mirent dès lors à imprimer du papier-monnaie; vers la fin de 1913, plus de vingt-cinq sortes de billets de banque différents et sans valeur circulaient dans le pays. Seule la peu conformiste armée de Zapata réussit à émettre une monnaie valable en fondant des lingots d'argent massif qu'elle convertissait en pièces.

Un coup sévère fut porté au gouvernement en avril 1914 lorsque les États-Unis — inquiets pour leurs investissements pétroliers au Mexique — envoyèrent des bateaux de guerre bloquer le port de Veracruz, sur le littoral du golfe, tarissant de la sorte les revenus douaniers, d'une importance vitale pour le gouvernement de Huerta, et empêchant la livraison de 200 mitrailleuses et de 15 millions de cartouches transportés à bord d'un navire allemand. Celui-ci débarqua sa cargaison sur le rivage plus au sud, mais ce retard causa un grave préjudice à Huerta.

Désormais les armées rebelles remportaient des succès sur tous les fronts. En juin 1914, dans la ville minière de Zacatecas, au centre-nord du pays, Villa avec 23 000 hommes attaqua 12 000 fédéraux dont ne réchappèrent de ce combat que quelques centaines seulement. Peu après cette écrasante victoire, Obregón s'empara de Guadalajara avant de faire son entrée à Mexico et de remettre la capitale à Carranza, tandis que Huerta, à l'instar de Porfirio Díaz, prenait le chemin de l'exil.

A peine les vainqueurs venaient-ils de s'emparer du pouvoir que des dissensions personnelles et idéologiques enflammèrent les esprits, et les combats se poursuivirent encore pendant cinq ans. Carranza, pressentant en Villa un rival politique, lui coupa ses approvisionnements en charbon, immobilisant ainsi les trains qui devaient transporter au sud les troupes de ce dernier. Pendant ce temps, à Mexico, Obregón infligeait une sévère défaite aux partisans de Villa; lequel, furieux, fit alliance avec Zapata pour renverser Carranza.

Pancho Villa et ses guérilleros entrent au galop dans Torreón en 1913. C'est à la suite d'une journée de harcèlement contre la ville que Villa gagna sa réputation de grand chef de guerre.

4

Tandis qu'ils marchaient sur la capitale, où leur entrée fut triomphale, Carranza transportait le gouvernement provisoire à Veracruz. Mais Zapata se désintéressa bientôt de Villa comme de Mexico et renvoya ses hommes dans l'État de Morelos afin qu'ils regagnent leurs foyers et les terres qu'ils avaient récupérées.

Depuis 1910, la Révolution avait engendré un terrible chaos. Nombre de Mexicains ne savaient plus quelle cause ils défendaient et ne se battaient plus que pour le plaisir de se battre. «C'est bien de se battre, et on n'a plus besoin de descendre travailler à la mine», confia un ancien mineur, Juan Sánchez, à un journaliste américain qui l'interrogeait.

A un certain moment, il y eut au Mexique quatre gouvernements simultanés, chacun prétendant à la légitimité. Celui formé par Carranza fut le plus durable et le plus communément respecté, mais il fut obligé de siéger à Veracruz aussi longtemps que Villa tint Mexico.

Cependant, le sang coulait toujours. Les affrontements se poursuivaient entre Villa et Obregón qui soutenait toujours Carranza et la cause constitutionnaliste. Au début de 1915, Obregón chassa Villa de la capitale vers le nord et le poursuivit jusque dans l'État de Guanajuato.

Obregón connaissait les méthodes de combat appliquées en France pendant la Première Guerre mondiale. Dans la ville de Celaya, il retrancha ses troupes derrière des rouleaux de fils de fer barbelés et des batteries de mitrailleuses. Chaque fois que Villa lançait une vague d'assaut contre ces défenses, cavaliers et chevaux tombaient morts. En avril 1915, au cours de deux affrontements lancés à une semaine d'intervalle, Villa perdit environ 6 000 hommes, le quart de son armée, mais peut-être fut-ce même le double du chiffre estimé. Il dut battre en retraite dans les montagnes de Chihuahua, au

nord du pays, et bientôt il ne lui resta plus qu'une poignée de hors-la-loi.

A présent que Villa était en déroute et que Zapata et les siens cultivaient leurs champs, le candidat à la présidence, Carranza, gagnait des points. En octobre 1915, son gouvernement fut officiellement reconnu par les États-Unis. Villa, qui se targuait de la sympathie américaine — la presse du pays voisin l'avait traité en héros —, en fut tellement outré qu'il répliqua par des raids de commando. Ses hommes prirent un train d'assaut et assassinèrent seize ingénieurs des mines américaines. Puis ils poursuivirent leur action terroriste à Columbus, dans le Nouveau-Mexique, où dix-huit autres citoyens américains furent tués. Les États-Unis ripostèrent en envoyant contre Villa 6 000 hommes commandés par le général Pershing. Mais le révolutionnaire, trop malin pour se laisser capturer, s'était volatilisé dans les montagnes.

En 1917, Carranza rentra à Mexico et fit ratifier une nouvelle Constitution donnant forme et cohérence aux objectifs souvent confus de la Révolution, et jetant ainsi les bases du Mexique moderne. Il veilla à séparer nettement l'Église de l'État (l'enseignement devint strictement l'affaire de l'État et le clergé se vit interdire de le prodiguer), et reconnut aux travailleurs le droit de se syndiquer. Il nationalisa toutes les ressources naturelles — minières ou pétrolières — du pays et, par-dessus tout, il dota enfin le gouvernement du pouvoir de redistribuer les terres aux paysans.

Pourtant, la Constitution adoptée en 1917 ne reflétait que de fort loin les idéaux révolutionnaires, et Carranza perdit de nombreux partisans. Son administration était conservatrice, corrompue et indolente. Chaque fois qu'il fallait prendre une décision, son regard se perdait derrière les verres bleutés de ses lunettes et de la main gauche il fourrageait longuement sa belle

barbe blanche. Selon le mot d'Obregón, Carranza était «grand dans les petites choses et petit dans les grandes».

A Morelos, Zapata, toujours préoccupé par le sort des Indiens, portait un jugement encore plus sévère qu'il exprima en mars 1919 dans une lettre ouverte adressée au citoyen Carranza : «Vous avez tourné la lutte à votre profit et à celui de vos amis qui vous ont porté au pouvoir, et vous avez partagé le butin avec eux — richesses, affaires, banquets, fêtes somptueuses, bacchanales, orgies», écrivait Zapata. «Il ne vous est jamais venu à l'esprit que la Révolution fut menée pour le bénéfice des masses, des légions d'opprimés mises en branle par vos harangues.»

Pour toute réponse, Carranza échafauda un plan compliqué pour piéger son opposant. Un général fédéral prétendit avoir tourné casaque et offrit à Zapata son soutien et ses hommes. Il lui donna rendez-vous dans une hacienda située sur son propre territoire. Un soldat a raconté qu'au moment où Zapata apparut à la porte, «sans même lui laisser le temps de dégainer, le détachement qui lui présentait les armes tira deux salves, et notre inoubliable général Zapata tomba pour ne plus jamais se relever». Il avait 39 ans.

Carranza lui-même n'en avait plus pour longtemps à gouverner. Obregón semblait être son successeur tout désigné aux élections de 1920, mais le président, un peu avant la fin de son mandat, désigna un autre candidat. Cette volte-face outragea Obregón qui fomenta une insurrection. Il leva une armée et, en mai 1920, marcha sur la capitale. Selon la routine établie, Carranza s'enfuit à Veracruz, mais sur le chemin de Puebla il fit halte dans un village pour se reposer, et il fut assassiné dans son lit par un de ses anciens partisans.

Villa survécut quelque temps. Obregón, résolu à lui faire déposer les armes pour avoir la paix, offrit au vieux bandit —

Alvaro Obregón, le chef des troupes constitutionnalistes, perdit le bras droit en 1915 lors d'un affrontement contre les forces de Pancho Villa. Comme il souffrait atrocement, il voulut se tirer une balle dans la peau ; mais son pistolet était déchargé. Il fallut amputer. Son bras a été placé au cœur du monument édifié à sa mémoire à Mexico.

comble de l'ironie pendant ces temps troublés où l'ironie était présente partout — une hacienda de 10 000 hectares dans l'État de Durango. Villa n'en profita pas longtemps. En juillet 1923, trois ans après qu'il fut devenu propriétaire terrien, sa voiture tomba dans une embuscade et son corps fut troué de 47 balles. Ses assassins ne furent jamais arrêtés, ni même identifiés. C'étaient sans doute des bandits qui jugeaient qu'il les avait trahis.

Entre-temps, pour légitimer sa prise du pouvoir, Alvaro Obregón avait fait procéder à des élections. Il fut dûment élu et son investiture en 1920 mit fin à quatre siècles d'un féodalisme hérité des conquistadors. Le coût des dix ans de révolution était énorme. Deux millions de Mexicains, soit un sur huit, avaient trouvé la mort et le pays était en ruine. Obregón, qui avait perdu un bras au cours des combats, confronté à la redoutable tâche de la reconstruction, fit remarquer avec un humour caustique : « Nous sommes tous plus ou moins voleurs. Cependant je n'ai qu'une main, tandis que les autres en ont deux. Voilà pourquoi le peuple m'a choisi. »

Il prit ses fonctions, fermement déterminé à maintenir la paix, à se montrer ouvert aux compromis et à relever le pays dans le respect de la Constitution de 1917, ce dont Carranza ne s'était guère préoccupé avant lui. C'était là un vaste programme qu'il faudrait des années pour réaliser. Obregón commença modestement par redistribuer la terre en parcelles communales, ou *ejidos*, renouant ainsi avec une vieille pratique indienne. Son plus grand titre de gloire est sans conteste d'avoir pu, sans susciter le désordre, transmettre le pouvoir à son successeur. En 1924, après les élections, la présidence changea de main dans le calme pour la première fois depuis quarante ans.

Mais, en 1928, une dernière flambée de violence eut raison d'Obregón. Il brigua un deuxième mandat et, 17 jours seule-

ment après sa réélection, il fut assassiné par un jeune catholique fanatique. Au lendemain de sa mort, en 1929, fut créé le *Partido Nacional Revolucionario* (Parti national révolutionnaire) où se trouvaient réunies les diverses factions du pays. Peu après, il fut rebaptisé *Partido Revolucionario Institucional* (Parti révolutionnaire institutionnel, ou PRI) et devint un facteur de stabilité. Grâce au PRI le Mexique put enfin changer de gouvernement dans des conditions pacifiques : au cours des campagnes électorales et des meetings politiques, les antagonismes idéologiques ou personnels se résolvaient dans la discussion et non dans le sang.

Obregón, Madero, Zapata, Carranza, Villa, tous les grands chefs révolutionnaires périrent de mort violente, mais l'idéal qui les animait et qu'ils avaient réussi à faire partager leur survécut. Les objectifs révolutionnaires furent atteints, l'un après l'autre, dans le respect de la légalité, et sans recourir aux armes.

Si elle ne mit fin ni à la pauvreté ni à l'analphabétisme, du moins la Révolution apporta-t-elle au pays la stabilité politique, le progrès économique et un début de cette justice sociale exceptionnelle dans les pays en voie de développement.

Elle forgea aussi le sentiment national. Depuis l'arrivée au pouvoir de Porfirio Díaz en 1876 jusqu'à l'aube de la Révolution à la fin de 1910, le Mexique n'était pas vraiment une nation, mais un ensemble de groupes disparates résidant à l'intérieur des frontières d'un même pays. Par-delà les griefs, les horreurs, et les ironies cruelles, la Révolution engendra un peuple qui sut oublier les énormes différences de fortunes et les préjugés sociaux fortement enracinés depuis des lustres pour découvrir son identité nationale. Alors cette unité engendra à son tour un grand épanouissement dans le domaine des arts, de l'architecture et des lettres.

ZAPATA ET SON ARMÉE D'INSURGÉS

Emiliano Zapata fut, de tous les chefs de la Révolution, le plus idéaliste. Il ne convoitait ni le pouvoir personnel ni la richesse. Son seul but visait à restituer aux paysans du Morelos, l'État où il naquit, «les terres, les bois et les eaux que les gros propriétaires leur avaient volés». Pour tous les Indiens du Morelos, la terre comptait bien plus que la vie. Ils parlaient avec émotion de leur *patria chica* (petite patrie), et leur chanson préférée se terminait par le refrain: «S'ils doivent me tuer demain, alors, pourquoi pas aujourd'hui?»

La haine de Zapata pour les gros propriétaires remontait à son enfance, où les gardes d'une hacienda l'avaient battu parce qu'il avait dérobé du foin — du foin destiné à être brûlé. En 1910, il aida les paysans sans terre à s'organiser en armée de guérilla. Au cri de *Tierra y libertad!* (Terre et liberté!), les zapatistes se livraient à des attaques-surprises contre les troupes fédérales et s'emparaient de riches haciendas dont ils distribuaient les terres aux paysans.

Attiré dans un guet-apens en 1919, un an avant la fin de la Révolution, Zapata fut abattu à 39 ans sans avoir réalisé son rêve. Beaucoup d'Indiens du Morelos ne voulaient pas croire à sa mort et dans la nuit croyaient l'apercevoir galopant sur les collines.

Quoique d'assez petite taille, Zapata, généralement habillé en paysan, faisait grande impression dans sa tenue de combat. Ses yeux étaient «sombres, pénétrants et mystérieux», disait-on.

Les troupes zapatistes, habillées à la façon
traditionnelle du Morelos — pantalon
blanc, chemise blanche et sombrero —,
entrent dans Cuernavaca, capitale de
l'État, après la cuisante défaite de
l'armée fédérale, le 13 août 1914.

Les partisans de Zapata, parmi lesquels
des femmes, se pressent dans un champ
de maïs. Appelées *soldaderas*, épouses et
compagnes suivaient les hommes sur le
champ de bataille, prenaient soin d'eux
et ramassaient les armes des morts.

Des soldats de l'armée fédérale (*premier plan*) tirent sur des troupes zapatistes massées sur le flanc de la colline.

Les troupes de Zapata ont fait dérailler une locomotive, dont il ne reste que la carcasse. Outre qu'elles transportaient l'intendance en cas de retraite, les locomotives, chargées de dynamite, étaient parfois lancées sur les trains ennemis qu'elles faisaient exploser.

A Mexico, pendant la brève trêve de décembre 1914, Zapata et Pancho Villa assistent à l'investiture présidentielle au Palais national. Les deux grands chefs révolutionnaires s'étaient rencontrés depuis peu, et on fondait bien des espoirs sur les résultats d'une alliance entre eux ; mais hélas celle-ci tourna court.

Une arche surmontée du buste de Benito Juárez, le grand homme d'État, se dresse à l'entrée de Nezahualcóyotl, un faubourg de Mexico. Cette sculpture contemporaine, due à Luíz Arenal, est l'une des nombreuses œuvres exaltant l'histoire du Mexique.

LE DYNAMISME CULTUREL

Le peintre français Jean Charlot, qui se joignit aux mouvements d'avant-garde au Mexique, dans les années 1920, raconte avec une pointe de nostalgie qu'avec Diego Rivera et quelques autres artistes mexicains, ils louaient parfois un autobus pour partir en vadrouille le long des routes en quête de chefs-d'œuvre artistiques anciens. L'atmosphère était toujours à la franche gaieté. «Nous menions si grand tapage», dit Charlot, «que les gens nous prenaient plus volontiers pour des généraux révolutionnaires en train de faire la bombe que pour des artistes à la recherche de leurs racines culturelles.»

Ce n'était pas seulement leurs vociférations de jeunes gens éméchés qui faisaient prendre ces joyeux lurons pour une bande de généraux à la gâchette facile. En cette époque postrévolutionnaire encore troublée, ils prenaient soin d'emporter avec eux pour se défendre tout un attirail d'armes à feu et s'amusaient souvent à tirer quelques cartouches. Au cours d'une de ces randonnées, ils aperçurent depuis la route une flopée de lapins et se mirent en devoir de leur tirer dessus — au grand émoi d'un paysan qui faisait un bout de chemin avec eux. Rivera, d'un coup bien ajusté, toucha l'un d'eux qui détalait et, sous l'impact, l'animal fit un beau roulé-boulé. «Et avant qu'on puisse intervenir, voilà que notre passager épouvanté se jeta de la même façon hors de l'autobus en marche», raconte Charlot.

Cette anecdote dépeint assez bien le climat d'enthousiasme et l'énergie débordante qui caractérisent le renouveau artis-

tique après la Révolution, cet âge d'or de la culture, qui fut appelé par la suite la Renaissance mexicaine. Vers 1920 et 1930, nombre d'écrivains bouleversèrent les lettres mexicaines, faisant bon marché des goûts conventionnels et de bon aloi de leur prédécesseurs pour dépeindre sans mâcher leurs mots les réalités de la condition paysanne et la cruauté des combats pendant la Révolution. Les peintres rejetèrent non moins résolument les modes européanisées en vigueur au siècle précédent pour créer des œuvres authentiquement nationales, caractérisées par l'exubérance de la forme et la vivacité des couleurs.

Cet extraordinaire élan de créativité fut suscité par la chute du régime de Porfirio Díaz et par la révolution culturelle et sociale qui s'ensuivit: «Il semblait qu'on avait fait sauter un énorme bouchon de champagne», a-t-on fait remarquer. D'autres événements ont suscité un renouveau de l'inspiration artistique, mais peu ont favorisé l'éclosion de tant d'œuvres de qualité. Nombre d'artistes avaient été de fervents révolutionnaires, et ils se jetèrent dans la création, avec l'ardeur de troupes de choc; ils étaient animés par le désir de contribuer à l'instauration d'un monde meilleur. D'autres, dotés d'une conscience politique moins engagée, trouvèrent pourtant l'inspiration dans les idéaux de liberté et dans le patriotisme qui animaient leurs collègues plus militants.

Il y eut également à cette époque une prise de conscience nouvelle des richesses culturelles du passé. Les artistes se mirent à étudier avec ardeur les grandes décora-

5

tions murales laissées par l'ancienne civilisation maya, les puissantes sculptures du monde aztèque, les nombreuses églises, les basiliques et les palais de l'époque coloniale. Le rêve des peintres mexicains était de donner naissance à un art national digne de la noblesse des réalisations indiennes du passé.

Diego Rivera fut sans doute le plus célèbre et le plus chatoyant des peintres de l'époque. C'était un colosse débordant d'énergie (il mesurait plus de 1,80 mètre et pesait plus de 130 kilos), qui figure désormais parmi les plus grands artistes de notre siècle. Presque aussi célèbres sont ses deux grands contemporains, José Clemente Orozco et David Alfaro Siqueiros. On dit même que les œuvres d'Orozco l'emportent en expressivité sur celles de Rivera. Quant à Siqueiros, sa vie et son œuvre témoignaient de tant de passion révolutionnaire qu'il se retrouva souvent sous les verrous. Ces trois peintres, connus comme les «Trois Grands», sont les phares de la Renaissance culturelle mexicaine.

Né en 1886 à Guanajuato, une ville située au centre du pays, Diego Rivera fut une sorte d'enfant prodige. A trois ans, il couvrait déjà de dessins les murs de la maison familiale et son père, qui était instituteur, fit tapisser de tableaux noirs la chambre de ce peintre en herbe. A l'âge de 10 ans, on le fit entrer à l'académie San Carlos, l'école nationale des beaux-arts du Mexique, qu'il quitta à 16 ans, révolté par l'enseignement vieillot qu'on y dispensait. Il se sentait peu de goût pour le culte pointilleux du réalisme qu'on cherchait à lui imposer. A 20 ans, en 1907, Rivera montra quelques-unes de ses toiles au gouverneur de Veracruz qui, fort impressionné, fit octroyer au jeune homme une bourse d'études en Europe.

Pendant la décennie suivante, tandis que son pays était en proie aux convulsions de la Révolution, Rivera s'immergea dans le monde artistique parisien. Il fut d'abord fasciné par Paul Cézanne, puis par Pablo Picasso, Georges Braque et de façon générale par le mouvement cubiste naissant, auquel il adhéra avec ardeur. Il peignait à tour de bras. Son marchand parisien a conservé le souvenir de ce colosse mexicain qui lui apportait «cinq grandes toiles par mois, sans compter les dessins, les pastels, les aquarelles et autres».

L'arrivée en France en 1920 de son compatriote Siqueiros, frais émoulu des champs de bataille, mit un terme à la vie de bohème que Rivera menait à Montparnasse. Siqueiros évoque longuement les souffrances et les espoirs suscités par la Révolution et la nécessité de créer un art monumental propre à inspirer le peuple. Rivera adhéra avec enthousiasme à ces conceptions et les deux peintres décidèrent de se rendre en Italie pour y étudier les grandes fresques de la Renaissance.

A leur retour, après un bref séjour à Paris, Rivera décida soudain de rentrer dans son pays. Là, il découvrit que Siqueiros et lui avaient conquis un puissant allié en la personne d'un artiste visionnaire et excentrique, professeur dans une académie d'art, qui avait adopté le pseudonyme de docteur Atl. Celui-ci, de son vrai nom Gerardo Murillo, pétri d'admiration pour l'art préhispanique, avait adopté le nom nahuatl qui signifie eau, et il incitait vivement ses élèves à se plonger dans l'étude des anciennes civilisations du Mexique, aztèque, maya et autres. En outre Atl, qui avait voyagé dans sa jeunesse en Italie, était rentré fort impressionné par les puissantes fresques de Michel-Ange et il rêvait de parsemer de chapelles Sixtine son pays.

Placé par le gouvernement à la tête du département des Beaux-Arts en 1921, Atl organisa la première exposition nationale d'art et d'artisanat. Dans le parc de Chapultepec, il exposa une grande profusion de réalisations artisanales populaires: des poteries, des figurines en papier mâché, des céramiques, des objets laqués, etc. Il en résulta une prise de conscience publique des richesses culturelles de la nation. Atl encouragea aussi les jeunes artistes mexicains à faire revivre les techniques de la peinture à fresque. Avec le concours de José Vasconcelos, récemment nommé ministre de l'Instruction publique, il obtint du gouvernement l'autorisation de faire décorer de fresques les murs de certains édifices municipaux.

Rivera, Siqueiros, Charlot et d'autres s'attaquèrent avec énergie à la double tâche de prêcher l'évangile révolutionnaire en images et de redonner à l'art de la fresque une place d'honneur au sein de la culture mexicaine. Clemente Orozco, quoique moins engagé politiquement, se joignit au mouvement muraliste. «La plus haute forme de peinture, la plus pure, la plus vigoureuse, c'est la fresque», affirmait le muraliste. «On ne peut la convertir en objet pour en tirer des profits personnels, on ne peut la cacher pour le bénéfice de quelques privilégiés. Elle est toute pour le peuple. Elle est pour tous.»

Rivera peignit sa première fresque, *La Création*, dans l'amphithéâtre de l'École normale de Mexico en 1922, à l'âge de 35 ans. Coiffé d'un chapeau de cow-boy à larges bords, chaussé de bottes de mineur noires, les vêtements froissés et une cartouchière à la ceinture, il offrait un spectacle peu ordinaire perché sur son échafaudage, où venait le retrouver toute une collection de jolis modèles, parmi lesquels Guadalupe Marín, qu'il épousera cette année-là. A ses pieds se tenait souvent une adolescente un peu gauche qui, de temps à autre, chipait des bribes de nourriture dans le panier contenant le déjeuner du peintre. Elle s'appelait Frida Kahlo et elle allait devenir une artiste de talent, et plus tard, la femme de Rivera.

Le peintre travaillait à une vitesse phénoménale, comme s'il était animé par une force extérieure à lui-même. «Je ne suis pas un artiste», disait-il, «mais un homme qui, en peignant, remplit sa fonction biologique, tout comme un arbre produit des fleurs et des fruits.» Il parlait sans relâche, racontant à ses amis d'effarantes histoires, souvent inventées de toutes pièces, comme celle où il prétendait avoir massacré à lui seul dix personnes pendant la Révolution russe — alors qu'il n'avait jamais mis les pieds en Russie.

La première peinture murale de Rivera, où des figures gigantesques personnifient les vertus humaines et les arts, fut réalisée à l'encaustique — procédé se composant de couleurs diluées dans de la cire fondue chauffée avant utilisation. Par la suite, il eut recours à l'authentique technique de la peinture à fresque, qui consiste à appliquer des couleurs en poudre broyée à la main, délayées à l'eau, sur un enduit de plâtre frais, lequel en séchant devient partie intégrante du mur.

Lorsqu'en 1923 il se lança dans ce procédé, il lui arrivait de travailler avec tant d'ardeur qu'il épuisait les équipes de plâtriers chargés de préparer le pan de mur

qu'il allait colorer de son pinceau agile. Il s'attaquait à une œuvre colossale: 124 fresques, dépeignant le peuple mexicain dans ses travaux et ses fêtes, destinées à couvrir les murs intérieurs et les couloirs du ministère de l'Instruction publique à Mexico, un énorme édifice de deux étages, qu'il allait mettre cinq années à décorer.

Avant de commencer son travail, Rivera se rendit pour la première fois de sa vie dans la péninsule du Yucatán et dans les terres mayas du sud-est, pour parfaire ses connaissances de l'héritage précolombien du Mexique en matière d'art et d'artisanat. Il se prit pour ces lieux d'un amour dont il ne se départit jamais. La vie des Indiens et leur lutte pour améliorer leurs conditions d'existence devinrent dès lors le thème dominant de son œuvre.

Son souci des Indiens et de tous les peuples déshérités l'entraîna toute sa vie durant à militer dans les rangs du marxisme, et il fut pendant plusieurs années un membre influent du parti communiste mexicain. Ses fresques reflètent l'orientation de ses idées et fourmillent de drapeaux rouges, de faucilles et de marteaux et autres symboles communistes. Pour peindre les capitalistes, les ennemis

du peuple, selon lui, il emploie des couleurs violentes appliquées d'un pinceau rageur. Pour les Indiens par contre, figures héroïques, il procède par petites touches de couleurs plaisantes et vives.

En 1926, alors qu'il travaillait toujours au ministère de l'Instruction publique, Rivera entreprit ce que l'on considère comme son œuvre la plus représentative, les fresques de l'École nationale d'agriculture de Chapingo, à quelques kilomètres à l'est de Mexico. L'un des côtés d'un salon baroque du XVIIIe siècle matérialise l'évolution biologique de la vie humaine, tandis que le panneau qui lui fait face retrace le développement historique et social de l'humanité. Sur le mur du fond, dominant toute la pièce, Rivera peignit un nu gigantesque, couché sur le côté, symbolisant la Terre nourricière.

Brossée par petites touches avec un grand luxe de coloris, cette composition allie la noblesse à la sensualité. Certains critiques voient en elle l'un des plus grands nus de l'histoire de l'art et le saluent comme la pièce maîtresse de Rivera. «Il a par la suite enrichi son œuvre de nouveaux thèmes», fait observer l'historien d'art Justino Fernández, «mais il n'est jamais parvenu à dépasser le degré de perfection déployé à Chapingo.»

Les personnages féminins des compositions de Rivera sont souvent inspirés de ses épouses — il en eut quatre en tout —, et de ses nombreuses maîtresses. Bien que fort laid (l'une d'elles affirmait qu'il ressemblait à un crapaud), et passablement obèse, bien des femmes succombaient à sa débordante vitalité et à son charme, ce qui ne manquait pas de troubler la quiétude de son ménage. Au cours d'une scène de jalousie, sa seconde épouse, Lupe Marín, brisa en mille morceaux un joyau de la collection de son mari infidèle, une statuette précolombienne dont elle jeta les débris dans sa soupe.

Cet arbre de vie, illustrant la Nativité, et déployant ses multiples volutes, est l'œuvre du célèbre potier Herón Martínez, qui déclare: «Quand je me mets à une œuvre nouvelle, les idées me viennent pendant la nuit. Ensuite je façonne directement dans l'argile les formes apparues dans mon esprit.»

Des anges d'argile, appelés *michías*, sont placés sur les autels à la saison pascale afin de favoriser les récoltes de maïs et de haricots. Ils comportent des rainures dans lesquelles on dépose des graines de sauge. Quand on remplit les sillons d'eau, les semences germent, évoquant l'éclosion de récoltes favorables.

UN ARTISANAT EXUBÉRANT

Les potiers mexicains sont dotés d'une grande imagination. Bien que les objets qu'ils produisent s'arrachent, ils vivent reclus.

Ils puisent souvent leur inspiration dans les croyances et les légendes locales, où se mélangent les héritages indien et espagnol. Leurs conditions de travail sont presque toujours primitives. Tel utilise de vieux pneus pour chauffer son four; tel autre raconte: «Le chien me donne ses poils pour mon pinceau et le coq ses plumes pour peindre.» En dépit de ces moyens rudimentaires, ils possèdent la maîtrise de leur art. A un congrès mondial de céramistes, une des plus célèbres

artistes mexicaines, Teodora Blanco, se livra à une joute amicale avec un Japonais. Son fils raconte: «Le Japonais a dit: 'Je peux sculpter un objet de 70 centimètres'. 'Et moi de 80', répondit ma mère. La figurine du Japonais s'est brisée. Celle de ma mère a tenu le coup.»

Cet artisanat exubérant est parfois empreint de tristesse. Une femme qui avait réalisé un squelette souriant explique: «La vie est dure et les journées sont longues. Dieu rappelle les siens. Nous ne craignons pas la mort; nous plaisantons à son sujet; nous jouons avec elle. Il le faut bien pour ne pas sombrer dans l'amertume.»

Cette composition de Candelario Medrano est inspirée d'une geste relatant la défaite des Maures en Espagne, qui fait l'objet chaque 24 juillet de représentations dans sa ville natale. Le coyote masqué, à gauche, «a volé du maïs et en rejette la faute sur le Christ et sur le roi», explique Medrano.

Mi-animal, mi-sorcier, cette figurine représente un *nahual*, esprit tutélaire devenu maléfique. Son créateur explique que le nahual est de jour un être ordinaire qui, de nuit, devient malfaisant et dérobe les ustensiles de cuisine, comme le mortier et le dessous de plat qu'on voit lui battre les flancs.

Selon la croyance, ces deux squelettes symbolisent les esprits des morts qui viennent visiter leur parenté tous les ans, les 1er et 2 novembre. Ces figurines servent à la décoration des autels dans les familles, et sont entourées de fleurs et de photographies des chers disparus.

5

Lorsque cette union orageuse prit fin, en 1928, Rivera se lança dans une liaison pareillement mouvementée avec Frida Kahlo, cette ancienne étudiante qui lui ôtait naguère le pain de la bouche. Ils s'épousèrent en 1929. La jeune femme avait 22 ans et le peintre 42. Leur vie conjugale connut maintes vicissitudes — un divorce, entre autres, suivi d'un remariage —, jusqu'à ce qu'une embolie emporte Frida, à l'âge de 47 ans.

Dès les premiers mois de leur vie commune, Frida put se forger une image assez exacte des péripéties de l'existence quotidienne avec Rivera. Peu après leurs épousailles, il fut nommé directeur de l'académie San Carlos, dont il était ancien élève. Comme on pouvait s'y attendre, il s'empressa de tout bouleverser et de proscrire l'académisme rigide qui régnait en ces lieux et l'avait horrifié dans sa jeunesse. Mais le respect des valeurs traditionnelles l'emporta au sein de cette vénérable institution, et, moins de un an après son entrée en fonction, Rivera fut invité à donner sa démission.

L'année 1929 vit également son exclusion du parti communiste mexicain, dont les militants acceptaient mal ses trop nombreuses compromissions avec un gouvernement de plus en plus résolument autoritaire. Profondément affecté, Rivera n'en poursuivit pas moins son œuvre avec une ardeur proche de la démesure. D'août à septembre, il termina la décoration du ministère de l'Éducation nationale, brossa une série de nus gigantesques au ministère de la Santé et créa les décors et les costumes d'un ballet écrit par l'un des plus brillants compositeurs de sa génération, Carlos Chávez, et mit en chantier les grandes fresques épiques du Palais national, couvrant quatre cent cinquante mètres carrés, où il illustra l'histoire du peuple mexicain depuis les temps les plus anciens jusqu'à l'époque contemporaine. «Il se

distrait en travaillant», aimait à dire Frida, qui la plupart du temps ne rencontrait son époux que lorsqu'elle allait le voir s'activer sur ses échafaudages.

A cette époque, le renom de Rivera avait gagné les États-Unis. En 1931, il fut honoré d'une rétrospective au musée d'Art moderne de New York qui attira une foule de 56 575 personnes, ce qui constitue un record d'affluence pour l'époque. Il avait d'ores et déjà peint à la bourse de San Francisco une *Allégorie de la Californie*, et les commandes affluaient de maints autres bastions du capitalisme. Au début, à tout le moins, ses commanditaires nord-américains toléraient ses messages d'inspiration ouvertement marxiste et sa peinture peu flatteuse du monde capitaliste. Ils étaient déterminés par le souci apparemment méritoire de cautionner une vision artistique plus soucieuse d'exalter le bien public que les profits personnels — ce qui, au cours des premières années de la grande dépression économique, ne pouvait qu'impressionner favorablement l'opinion publique. De son côté, Rivera voyait dans les contrats qu'il décrochait aux États-Unis une occasion de créer un art glorifiant le prolétariat de l'ère industrielle.

Une telle relation entre artiste et mécène était vouée à l'échec dès le départ et les dissensions ne tardèrent pas à se manifester. La troisième grosse commande faite à Rivera aux États-Unis déclencha un scandale. Il s'agissait d'une série de fresques pour *The Institute of Art* de Detroit, destinées à exalter la science et l'industrie. Un panneau célébrant les bienfaits de la vaccination suscita la vindicte du clergé local. L'enfant vacciné, la tête auréolée d'or, était inspiré sans conteste des Enfants Jésus de la Renaissance, et l'ordonnance de la composition évoquait irrésistiblement une nativité. Diego Rivera fut conspué à grands cris, par la presse et la faculté unanimes, pour avoir osé représenter la

Sainte Famille dans un contexte médical jugé blasphématoire.

Indifférent à ces manifestations d'hostilité, Rivera se rendit à New York honorer une commande passée par Nelson Rockefeller, le petit-fils de John D. Rockefeller, le futur gouverneur de New York et vice-président des États-Unis. Il s'agissait de décorer le grand hall d'entrée du récent RCA Building dans le Centre Rockefeller. Rivera avait décidé de peindre sur la gauche un groupe d'hommes d'affaires avides en train de faire bombance au sein du peuple accablé par la guerre et le chômage et, à droite, une allégorie d'inspiration marxiste agrémentée d'un gigantesque portrait de Lénine.

L'œuvre était aux trois quarts achevée, quand un journal new-yorkais publia un

Cette Terre nourricière, un jeune plant à la main, fait partie d'une fresque gigantesque, brossée par Diego Rivera à l'École d'agriculture de Chapingo. L'œuvre est dédiée «à tous ceux qui sont tombés et qui tomberont encore dans leur lutte pour conquérir la terre».

article incendiaire: «Rivera peint une scène à la gloire du communisme et John D. paye la note.» Presque immédiatement, l'atmosphère au Centre Rockefeller s'imprégna d'hostilité. Le nombre des gardiens fut augmenté et ceux-ci se mirent à accabler de tracasseries les plâtriers et autres assistants de Rivera. A la fin, Nelson Rockefeller remercia le peintre et lui remit les 14 000 dollars qu'il restait lui devoir sur les 21 000 dollars d'honoraires prévus au contrat. La composition offensante fut recouverte d'une bâche et par la suite entièrement grattée. (Celles qui ornent à présent le RCA Building sont dues au pinceau de l'Espagnol José María Sert et à celui du Britannique Frank Brangwyn.)

De retour au Mexique, Rivera trouva quelque apaisement à sa fureur en repro-

duisant la même fresque au palais des Beaux-Arts de Mexico. Avec l'argent gagné aux États-Unis, il acquit deux maisons communiquantes dans le faubourg résidentiel de San Angel, au sud de la capitale, une pour Frida, et l'autre pour y installer son atelier, ainsi qu'une troisième propriété dans le quartier voisin de Coyacán. Ces demeures constituent à présent un lieu de pèlerinage pour les amateurs d'art du monde entier.

Après un certain temps d'inactivité, conséquence des servitudes de la célébrité et d'une période de mauvaise santé, Rivera se remit au travail avec son ardeur coutumière. Il demeurait parfois quinze heures d'affilée sur son échafaudage. Et il n'avait rien perdu de sa capacité de soulever l'indignation générale. Le plus grand scan-

dale de sa carrière eut lieu en 1948, lorsque fut dévoilée une fresque, placidement intitulée *Rêve d'un dimanche après-midi dans le parc de l'Alameda*, ornant le hall de l'hôtel del Prado à Mexico. Elle représentait les héros et les traîtres de l'histoire du Mexique en train de se promener dans un jardin public, ce qui en soi n'avait rien de choquant. Mais elle portait aussi les mots *Dios no existe* (Dieu n'existe pas), ce qui souleva la fureur des milieux catholiques. Des foules indignées se pressaient devant l'hôtel, prêtes à saccager l'œuvre que les pouvoirs publics finirent par dissimuler derrière une bâche.

La fresque demeura occultée jusqu'en 1956, où Rivera consentit enfin à gratter la phrase incriminée, par une soirée d'avril, en présence de la presse et d'une assis-

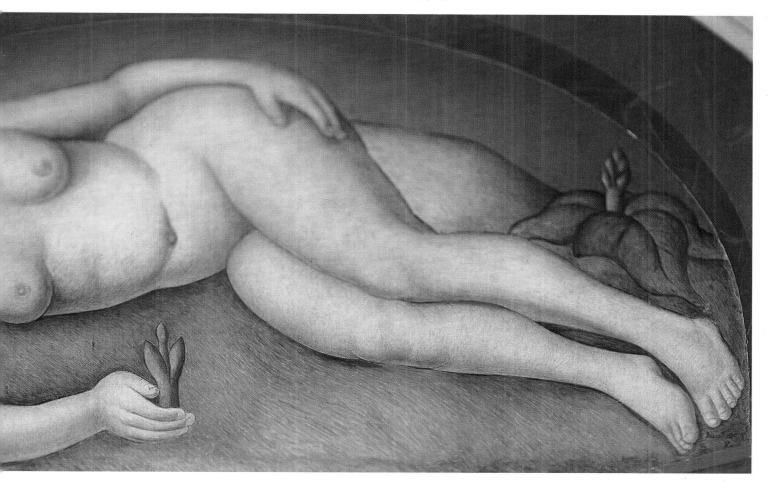

5

tance nombreuse. Au moment de monter sur l'échafaudage, Rivera surprit tout le monde en déclarant: «Je suis catholique.» (En fait, il avait été élevé dans la foi religieuse par une mère pieuse, mais nombre de ses amis doutèrent de la sincérité de ce retour aux croyances de son enfance.)

Diego Rivera mourut d'un cancer l'année suivante, à l'âge de 70 ans. Même ses funérailles ne furent pas exemptes de tapage: une querelle s'éleva au sein de sa famille au sujet de la présence d'une délégation communiste aux cérémonies.

En dépit de tous ces éclats, la vie de Rivera fut relativement calme comparée à celle de son collègue Siqueiros, le plus jeune des trois grands muralistes mexicains, personnage plein de vivacité et résolument engagé. En 1911, à l'âge de 14 ans, il participa à l'organisation d'une grève d'étudiants pour protester contre la rigidité de l'enseignement à l'académie San Carlos. Il affirma par la suite, avec un air de feinte innocence, qu'il s'était borné à «se placer aux côtés des grands pour jeter quelques pierres sur les gens». Il n'empêche qu'il fut l'un des rares participants arrêtés et enfermés par la police.

Et cela devait lui arriver maintes autres fois. Agitateur infatigable, son mépris ouvert de la loi lui valut de nombreuses incarcérations. Il adorait se battre et, pendant la Révolution, il s'enrôla dans une armée rebelle où il fut promu officier alors qu'il n'avait pas 20 ans. En 1936, lors de la Guerre civile, il alla combattre en Espagne dans les rangs de l'armée républicaine, où il obtint un poste de commandement.

De retour au Mexique en 1940, son nom fut mentionné à la une des journaux pour avoir participé à une tentative d'assassinat contre le vieux rival de Joseph Staline, Léon Trotsky, le fondateur de l'Armée rouge, en exil au Mexique. Une petite troupe d'hommes armés de mitraillettes

s'était approchée de la villa où habitait Trotsky dans un faubourg de Mexico et l'avait arrosée de balles. Mais ils avaient manqué leur coup, Trotsky et sa femme ayant cherché refuge sous leur lit. Siqueiros ne fut emprisonné que brièvement, grâce à l'intervention d'amis influents, mais il ne nia jamais sa participation à l'attentat. (Le malheureux Trotsky fut assassiné la même année par un homme seul, armé d'un simple piolet de montagne.)

Siqueiros était tout aussi rebelle aux conventions artistiques qu'il était peu respectueux des lois. C'est lui qui le premier eu recours à la peinture au pistolet et à divers matériaux synthétiques modernes comme l'acrylique. Il voulait également s'engager sur des voies nouvelles. Lançant une pique à Rivera, il dit un jour: «Je le proclame, foin de toutes les jolies scènes de péons souriants en costumes traditionnels, leurs paniers sur le dos. Je le proclame, il y en a marre des charrettes tirées par des bœufs — montrons plutôt des tracteurs et des bulldozers.»

A l'instar de Rivera, il se laissa emporter par l'enthousiasme communicatif du docteur Atl pour la peinture murale et, comme lui encore, il exécuta sa première fresque à l'École normale nationale. Il brossa, cette fois, une œuvre dépourvue d'intentions

politiques, inspirée par les quatre éléments: le feu, l'air, la terre et l'eau. Mais en 1922, une grève populaire violemment réprimée par les pouvoirs publics lui inspira une peinture, *L'enterrement d'un travailleur*, si ouvertement antigouvernementale, qu'en 1924 il fut mis à la porte de l'École normale sans avoir pu achever son œuvre. Dès lors et jusqu'à la fin de la décennie, il consacra le plus clair de son temps et de son énergie infatigable à l'action syndicale et c'est à peine s'il toucha à ses pinceaux.

Il les reprit pourtant en 1930, au cours d'une période d'emprisonnement de sept mois, suivie d'une mise en liberté surveillée, brossant avec une énergie digne de Rivera une centaine de toiles de chevalet. Peu après, on lui donna à choisir entre la prison et l'exil volontaire, et Siqueiros préféra aller vivre un certain temps à Los Angeles où il enseigna dans une académie d'art et peignit quelques fresques. En 1934, il retourna au Mexique et à ses premières amours, la peinture murale, et en 1939, à Mexico, où il décora les murs du Syndicat des électriciens d'une série de fresques puissantes dénonçant le fascisme que l'on place parmi ses chefs-d'œuvre.

Aux alentours de 1950, Siqueiros connut une période de relative quiétude où il se consacra à décorer, de fresques militantes embrassant la cause des travailleurs, les murs de l'hôtel du Trésor, de l'Université nationale et de l'hôpital de la Sécurité sociale à Mexico. «Un muraliste doit transmettre un message», déclarait-il au cours de cette période, faisant écho au docteur Atl et à Diego Rivera. «Sa fresque est la chaire où il enseigne.»

L'ardeur révolutionnaire de Siqueiros ne faiblissait aucunement avec l'âge. A 64 ans, alors qu'il travaillait à une fresque de plus de 50 mètres de long dans le château de Chapultepec à Mexico, il fut arrêté une fois de plus pour incitation à la révolte. Lors de son procès, il subjugua le public en

prononçant un réquisitoire de trois heures, où il s'expliqua sur les engagements politiques de sa jeunesse, brossa un panorama de la peinture mexicaine, et dénonça les trahisons de tous les gouvernements successifs aux idéaux de la Révolution de 1910-1920, le tout entrelardé de quelques propos insultants à l'adresse du président de la séance au tribunal. Condamné à huit ans de prison, il en purgea quatre seulement qu'il consacra à peindre d'abondance et à jouer au base-ball.

Sa dernière fresque, commencée à 70 ans, décore une surface gigantesque de 4654 mètres carrés dans le polyforum culturel de l'hôtel Mexico, dans la capitale. Elle porte, de façon appropriée, le titre grandiose de *La Marche de l'humanité en Amé-rique latine*. Peu après l'avoir achevée, Si-queiros mourut d'un cancer à 77 ans.

José Clemente Orozco, le plus âgé des «Trois Grands», différait fort de ses prestigieux collègues. Autant Rivera et Siqueiros étaient querelleurs et volontiers ostentatoires, autant il évitait avec soin toute controverse et gardait secrète sa vie privée. Moins engagé sur le plan politique, il ne dédaignait pourtant pas de recourir à des sujets d'inspiration nationale, mais il les dotait d'une portée plus universelle.

Au début de sa carrière, en fait, Orozco ne cachait pas son mépris pour les peintres qui, selon ses propres termes, «se pâment bêtement à la vue de nos ustensiles de cuisine mexicains». Né en 1883, il grandit à Mexico et demeura jusqu'à la fin de ses jours un fervent adepte de la vie citadine. Ses premières toiles sont de mordantes satires des métropoles modernes.

La famille d'Orozco s'opposa d'abord à sa vocation artistique et l'inscrivit à l'École nationale d'agriculture de San Jacinto. Mais Orozco détestait la vie agreste et se sentait peu enclin à suivre la voie toute tracée qui s'ouvrait devant lui. Une explosion dans le laboratoire de chimie lui coûta la main gauche et il faillit perdre un œil. Cet accident le confirma dans son désir de se consacrer à la création artistique. Les artistes étaient «de pauvres diables», disait-il, et il se sentait «un des leurs», du fait qu'il était mutilé et presque borgne.

En 1906, à l'âge de 23 ans, il suivit des

5

Dans son immense fresque *La Marche de l'humanité*, David Alfaro Siqueiros tient le rôle d'un figurant nain au milieu de personnages aux formes contournées. L'œuvre orne les murs du polyforum qui porte son nom à l'hôtel Mexico.

cours intensifs à l'académie San Carlos. Ses premières œuvres dépeignaient les aspects les plus bassement terre à terre de la vie urbaine. «Au lieu de couchers de soleil rouges et jaunes», dit-il, «je peignais la pénombre pestilentielle de chambres closes» et «des dames et des messieurs en état d'ébriété».

Ces premières peintures des bas-fonds de la ville surprirent le public. «L'art d'Orozco est inquiétant, spectral, torturé», écrivit le peintre et poète Raziel Cabildo. «Ce sont des aquarelles de cauchemar où des monstres humains agitent en une danse convulsive leurs chairs putréfiées, enveloppés d'un brouillard asphyxiant imprégné de fumée de tabac, de vapeur d'alcool et d'odeur de pommade rance.» Pendant la Révolution, Orozco fut témoin de scènes d'effroyable boucherie qui influencèrent sa sensibilité d'artiste et, dès lors, ses caricatures d'ores et déjà amères prirent une tournure macabre qui les rendit plus impressionnantes que jamais.

Les toiles grinçantes d'Orozco soulevèrent l'indignation du public, qui en acheta fort peu lors de la première exposition exclusivement consacrée à ses œuvres, organisée en 1916. Déçu, le peintre empaqueta ses aquarelles et partit tenter sa chance aux États-Unis où il espérait trouver plus de compréhension. Mais à sa grande horreur, un grand nombre de ses expressives peintures de la vie nocturne de Mexico furent déchirées à la frontière en mille morceaux par des douaniers américains qui, dans leur ardeur puritaine et sans y regarder à deux fois, les jugèrent «immorales». Une fois arrivé à New York, il ne put placer aucune des quelques œuvres ayant échappé à la vindicte des gardes-frontières, et son extrême pauvreté le réduisit à se faire embaucher dans une fabrique de poupées dont il peignait au pinceau les yeux, les cils et les joues.

Quand il eut économisé l'argent du

voyage, Orozco rentra à Mexico. Persuadé que le public était incapable d'apprécier sa peinture, il se fit dessinateur humoristique pour la presse. Pourtant, quelques amateurs influents commençaient à reconnaître sa valeur — entre autres le poète et journaliste José Juan Tablada qui le tenait pour «le plus grand de nos peintres mexicains». Pratiquement à lui seul, Tablada réussit à persuader les pouvoirs publics de commander une peinture murale à Orozco.

Celui-ci avait déjà plus de 40 ans lorsqu'il exécuta ses premières fresques à l'École normale nationale, cet édifice si abondamment décoré. «Mon seul thème est l'humanité, et ma seule tendance est l'émotion à son paroxysme», confia Orozco, tout en peignant sur les murs des épisodes de la lutte révolutionnaire, et des scènes de la vie précolombienne et de la conquête espagnole. Pour la violence qu'elles expriment, on a comparé ces fresques à la série de dessins du grand peintre espagnol Francisco Goya, intitulés *Les Horreurs de la guerre*. Et un critique ne craignit pas d'affirmer que «depuis les primitifs italiens on n'avait rien peint à fresque de plus grand».

Comme par le passé, le public ne fut guère enthousiasmé. La première mouture d'une des peintures murales montrait une femme nue censée représenter, aux dires d'Orozco, la maternité, que beaucoup prirent pour une madone blasphématoire. L'indignation crût encore du fait que les conquistadors étaient dépeints comme les bienfaiteurs des Indiens du Mexique — interprétation caractéristique de l'esprit anticonventionnel d'Orozco. Mais cette façon de concevoir l'Histoire était loin de recueillir la faveur populaire. Des hordes d'étudiants en colère bombardèrent les fresques de pierres et d'œufs pourris. Il fallut par la suite de nombreuses pétitions signées par des milliers de Mexicains et d'amateurs d'art étrangers pour que le peintre consente à réparer les dégâts et à achever son œuvre, ce qui fut fait en 1927.

Vers la fin de cette année-là, l'artiste effectua un autre séjour à New York où il produisit de nombreuses toiles. En avril 1929, la ligue des étudiants d'art organisa à New York une exposition qui bénéficia d'une grande publicité, et recueillit l'éloge unanime de la presse, ce qui valut à Orozco diverses commandes.

A son retour à Mexico, vers 1935, il peignit *Catharsis* au palais des Beaux-Arts. Cette fresque, d'une facture violente, exprime l'horreur ressentie par l'artiste face à la corruption du monde moderne.

Ensuite, il alla honorer plusieurs commandes importantes à Guadalajara, la capitale de l'État de Jalisco. Tout d'abord il entreprit de décorer la gigantesque coupole de l'université de la ville, haute de près de 40 mètres, d'une fresque célébrant les hauts faits de l'humanité. Puis il s'attaqua à l'escalier monumental du *Palacio de Gobierno* où il retraça dans la cage de l'escalier la lutte du peuple mexicain pour sa liberté, depuis l'insurrection de 1810 contre la domination espagnole jusqu'à la Révolution et au-delà.

Dans ces dernières représentations comme dans la plupart des autres peintures d'Orozco, les personnages sont environnés de flammes tourbillonnantes. La dernière œuvre du célèbre muraliste à Guadalajara, considérée comme son chef-d'œuvre, qui orne les murs et le dôme de la chapelle de l'*Hospicio Cabañas*, un orphelinat édifié à la fin du XVIIIe siècle, illustre le thème de l'évolution de l'humanité.

Avec l'argent gagné au cours d'un nouveau séjour aux États-Unis, Orozco se fit construire un atelier à Mexico, où il réalisa les dessins préparatoires à des fresques destinées à orner les bâtiments de la Cour suprême du Mexique et la chapelle désaffectée de l'hôpital des Jésuites, sur le thème de la justice pour les travailleurs. L'exécu-

tion de ces peintures présentait bien des difficultés. Les visiteurs de la chapelle voyaient, non sans appréhension, ce sexagénaire amputé d'une main se hisser maladroitement au sommet d'un échafaudage de 15 mètres. Pourtant, se rappelle l'un d'eux, Orozco demeurait imperturbable. «Avec son moignon il tirait à lui un récipient contenant ses pinceaux et ses couleurs, et se mettait à l'œuvre.»

Orozco demeura actif jusqu'à la fin de sa vie. Il mettait la première main à une fresque intitulée *Primavera* sur le mur entourant les jardins d'un nouveau lotissement à Mexico lorsqu'un jour de septembre 1949, anormalement fatigué, il rentra chez lui. Il mourut le soir même d'une crise cardiaque à l'âge de 65 ans.

Ses funérailles, auxquelles assistèrent des milliers de ses concitoyens, furent un événement national. Un Américain, impressionné par l'affluence de gens du peuple venus lui rendre un dernier hommage, a écrit: «Je puis affirmer que plus d'un étranger pensait combien il était merveilleux d'être le citoyen d'un pays où, si l'on est un grand artiste, on peut être aussi considéré comme un grand homme.»

Ainsi, en dépit des controverses suscitées par leur œuvre et par leur vie, Orozco et les autres muralistes parvinrent-ils à réaliser leur rêve de créer un art national aux proportions épiques. «Ils peignaient différemment», a fait remarquer l'historien d'art mexicain Rafael Carrillo, «et de la sorte ils nous ont appris à voir les choses différemment. Ils ont modifié notre vision, nous ont libérés de nos conventions et ont confirmé la dignité de notre destinée en glorifiant les humbles.»

Mais tous les peintres de cet âge d'or n'étaient pas muralistes, et parmi les plus grands il faut citer Rufino Tamayo, qui préféra toute sa vie travailler à son chevalet. Il ne participait pas non plus aux

5

engagements politiques de ses contemporains, et se proclamait hostile à «toute tentative de mettre l'art au service d'un autre but que la glorification de l'homme lui-même, dans sa totalité». Il ajoutait que les muralistes faisaient «du journalisme et non de la peinture : ils enseignaient l'histoire et la sociologie». Son œuvre, pourtant, n'en était pas moins à sa manière aussi audacieuse que la leur.

S'il critiquait l'intérêt des muralistes pour le problème indien, Tamayo n'en était pas moins lui-même Indien zapotèque de modeste condition. Né à Oaxaca en 1899, il avait perdu ses parents au cours de son adolescence, et une tante, marchande de fruits à Mexico, l'avait recueilli. Ainsi devint-il familier des marchés en plein air de la ville dont les étals débordaient de fruits tropicaux aux luxuriantes couleurs : mangues, papayes, ananas et pastèques, que l'on retrouverait plus tard dans ses exubérantes natures mortes.

Prudente, la tante de Tamayo le fit entrer dans une école commerciale, mais celui-ci séchait souvent les cours pour aller suivre ceux de l'académie San Carlos. Il payait ses études en travaillant au musée national d'Archéologie. Après avoir fréquenté l'académie pendant trois ans, il se consacra, à titre personnel, à l'analyse des techniques picturales employées par les impressionnistes français, et les cubistes les plus impressionnistes, lesquels, disait-il, étaient les seuls à posséder assez de «vitalité pour nourrir et stimuler». Il devint assez vite le chef de file d'un petit groupe d'antimuralistes et donna sa première exposition dans une boutique de location de l'Avenida Madero. Trois ans plus tard, en 1929, il organisa une autre exposition où était présenté *Chaise avec des fruits*, son premier chef-d'œuvre, simple assemblage d'humbles objets de la vie quotidienne produisant un effet extraordinaire.

Cependant les toiles de Tamayo ne soulevaient pas grand enthousiasme et le peintre ne gagnait pas grand-chose dans le monde effervescent et léger des amateurs d'art de Mexico. En 1936, il se rendit à New York, avec sa femme, la pianiste Olga Flores Rivas, où il enseigna dans une académie privée de Manhattan. Il vécut aux États-Unis jusqu'en 1949.

Rufino Tamayo, à la différence des créateurs de son époque, déniait à l'expression artistique toute valeur didactique pour l'instauration du progrès social. Il a laissé ce *Portrait d'Olga*, son épouse, peint dans les teintes éclatantes qu'il affectionnait beaucoup.

Ensuite avec Olga il se rendit à Paris, où étaient nés les mouvements impressionniste et cubiste qui l'avaient tant inspiré. Il y trouva la célébrité, mais cette belle ville grise où il pleut souvent ne lui plaisait qu'à moitié. « Moi qui suis censé être un coloriste, j'en étais réduit à peindre tout en noir. Manifestement, les lieux ne me convenaient pas. Puis il est advenu une chose curieuse. Dès mon retour à Mexico, la première toile que j'ai peinte débordait à nouveau de couleurs éclatantes. »

A Mexico, les Tamayo se firent construire, d'après leurs propres plans, une maison aux abords de la ville avec un jardin abondamment fleuri. En tablier de cordonnier et broyant lui-même ses couleurs, Tamayo travaillait comme un artisan. « Je ne crois pas qu'il faille attendre l'inspiration pour se mettre à l'ouvrage », disait-il. « L'inspiration vient avec le travail. Aussi je travaille comme n'importe quel ouvrier, sept à huit heures par jour. »

Parallèlement à la révolution en peinture menée par Rivera et ses contemporains, la littérature aussi connut un renouveau spectaculaire. Le premier écrivain à balayer les vieilles conventions fut, chose curieuse, un obscur médecin entre deux âges, Mariano Azuela. Né dans le Jalisco en 1873, il fut reçu docteur en médecine à Guadalajara en 1899. En 1910, il embrassa la cause révolutionnaire et soigna les blessés dans l'armée de Pancho Villa. Lorsqu'au printemps 1915, Villa essuya de cuisantes défaites, Azuela alla se réfugier au Texas.

C'est dans la petite imprimerie étouffante d'un journal d'El Paso qu'il écrivit son grand roman historique, *Ceux d'en bas*. Le quotidien de langue espagnole publia son récit en feuilleton, en contrepartie de quelques dollars.

Cette publication passa pratiquement inaperçue. Mais lorsque dix ans plus tard l'ouvrage parut finalement à Mexico sous

Le père Miguel Hidalgo y Costilla, qui fut l'artisan des premiers combats pour secouer le joug espagnol, brandit une machette pour venir en aide à l'humanité souffrante dans cette fresque de José Clemente Orozco décorant le palais du gouvernement à Guadalajara.

forme de livre, le succès fut retentissant. On le qualifia d'authentique roman de la Révolution et il fut le point de départ de tout un mouvement littéraire.

L'intérêt qu'il souleva tient à son réalisme intransigeant. Médecin aux armées, Azuela avait pu observer de près les effets destructeurs et déshumanisants de la Révolution. Il avait également constaté la propension des idéalistes à se faire tuer, laissant les leviers de commande aux opportunistes. Ces sentiments désabusés transparaissent dans *Ceux d'en bas*, l'histoire d'un simple paysan, Demetrio Macías, ballotté comme un bouchon dans le flot des effusions de sang révolutionnaires, sans trop savoir pourquoi il se bat. Pour souligner l'inanité des choses, Azuela fait mourir son héros sur les lieux mêmes où sa faction a remporté sa première victoire. « Demetrio Macías », dit la dernière phrase du livre, « les yeux fixes à jamais, continue à pointer son fusil. »

Ceux d'en bas rompait avec les conventions littéraires tant par son contenu que par son style. Azuela, dédaigneux d'échafauder intrigues et contre-intrigues ou de recourir au langage châtié caractéristique des romans mexicains qui jusqu'alors cherchaient à se calquer sur les modèles européens, débite son récit sans fioritures, dans une prose efficace et parfois haletante. En outre, dans les dialogues, Demetrio Macías s'exprime dans le simple langage quotidien des gens du peuple.

Le vigoureux récit d'Azuela suscita une avalanche de romans sans concession ayant pour thème la Révolution ; l'un des meilleurs, *L'Aigle et le serpent*, fut écrit par un journaliste né à Chihuahua en 1887, Martín Luis Guzmán. Comme Azuela, Guzmán s'enthousiasma pour les idéaux révolutionnaires et abandonna sa confortable vie d'étudiant à l'université pour suivre Pancho Villa, attiré par la séduction personnelle de ce meneur d'hommes. Mais il fut bientôt dégoûté par les actes de violence et de pillage dont il était témoin, et son livre, récit romancé de ses aventures révolutionnaires, reflète ses désillusions.

La génération suivante demeura elle aussi fort attachée aux idéaux de la Révolution, dont elle mettait pourtant en doute les méthodes et les résultats. Parmi elle, l'un des écrivains dont l'œuvre connut le plus grand retentissement est Carlos Fuentes. Un critique littéraire anglais a dit de ses romans qu'ils étaient « exotiques, érotiques, expérimentaux ».

Né en 1928, Fuentes se mit à écrire vers 1950 et publia son premier roman, *La Plus Limpide Région*, en 1958. Le titre est une allusion désenchantée à un vers du poète mexicain Alfonso Reyes, célébrant la transparence de l'air dans la vallée de Mexico. L'auteur dénonce en observateur impitoyable l'avidité et la corruption régnant à tous les niveaux de la société mexicaine en ce milieu du XXᵉ siècle. Il condamne la Révolution, qui, loin d'avoir contribué au bien du peuple, n'a servi au contraire qu'à enrichir un certain nombre de parvenus.

5

Fuentes reprend ce thème dans son troisième roman, *La Mort d'Artemio Cruz*, où le héros, un ancien révolutionnaire, devient l'un des plus grands rapaces du pays. Tour de force technique, l'action est concentrée sur les douze dernières heures de la vie d'Artemio Cruz, gisant sur son lit de mort, qui se remémore les événements majeurs qui l'ont conduit, depuis ses humbles débuts dans une plantation de café, à son actuelle position de nabab redouté et de politicien féroce, écrasant impitoyablement quiconque cherche à lui barrer le chemin.

En brossant ce portrait d'un homme qui a fait bon marché de ses idéaux, trahissant la Révolution, son pays et finalement se trahissant lui-même, Fuentes se place sur le plan philosophique dans la lignée de son aîné, Octavio Paz, qui occupe une place prédominante parmi les penseurs mexicains. Né aux abords de Mexico en 1914, Paz devient une figure bien connue dans les cercles littéraires de la capitale dès l'âge de 18 ans. Depuis lors, il publie des poèmes reflétant le plus souvent ses sentiments à l'égard de lui-même et de son pays, en des vers allusifs, quelque peu hermétiques, où l'on décèle l'influence des symbolistes, entre autres de Stéphane Mallarmé, ainsi que les surréalistes.

Très tôt, la critique internationale salua la subtilité de son talent. En 1943, une bourse Guggenheim lui fut octroyée qui lui permit de séjourner pendant deux ans aux États-Unis. A distance, le Mexique apparut à Paz comme un pays hanté par sa violente histoire et constamment trahi par ses dirigeants, un pays où les gens vivent isolés dans une perpétuelle méfiance. Il consigna cette analyse pleine d'amertume en une série d'essais reliés entre eux qui constituent la matière de ce qui est probablement son chef-d'œuvre en prose, *Le Labyrinthe de la solitude*, publié en 1950. Il y suggère que la quête des Mexicains de leur identité nationale et leur attitude

empreinte de stoïcisme face aux tribulations de la vie forment peut-être le paradigme de toute existence humaine.

La grande considération où l'on tenait Octavio Paz dans le monde des arts et des lettres lui valut d'occuper de hautes fonctions diplomatiques, phénomène fréquent dans un pays où l'on tient en grand respect les intellectuels et les artistes. (Fuentes, lui aussi diplomate, fut pendant un certain temps ambassadeur du Mexique à Paris.) Paz, quant à lui, représenta son pays en des lieux aussi différents que la France ou l'Inde, ce qui contribua à enrichir d'images nouvelles une imagination déjà débordante. Lorsqu'en 1968 il renonça à la diplomatie, il était auréolé d'une grande réputation internationale en tant que poète, critique littéraire et artistique.

Personnage beaucoup plus secret et effacé, Juan Rulfo figurera peut-être dans l'histoire des littératures comme le plus grand de tous les écrivains mexicains. Né en 1918 dans les terres étouffantes et désolées du sud de l'État de Jalisco, il perdit ses parents à l'âge de 12 ans et fut placé dans un orphelinat, établissement qui tenait plutôt de la maison de redressement.

A sa sortie du «pensionnat», comme il dit avec ironie, ce jeune homme sans foyer et sans racines vécut d'abord de petits travaux à Mexico, puis trouva un emploi modeste dans les services de l'immigration, avant d'entrer, en 1962, à l'Institut indigéniste, organisme qui se consacre à la protection des Indiens et fournit assistance aux plus déshérités d'entre eux.

Entre deux emplois, Rulfo trouva le moyen d'écrire un recueil de nouvelles, *El Llano en llamas* (La Plaine en flammes), et un court roman de 125 pages environ ayant pour titre le nom du vilain de l'histoire, *Pedro Páramo*, publié en 1955. Ces deux minces volumes firent instantanément figure de classiques et propulsèrent leur auteur au tout premier rang des écri-

vains latino-américains. On a calculé récemment que *Pedro Páramo*, qui a été traduit dans de nombreuses langues, s'est vendu à plus de un million d'exemplaires.

Le recueil de nouvelles ainsi que le roman brossent un portrait livide, pour ne pas dire cauchemardesque, du monde rural où Rulfo vécut dans son enfance, celui d'une terre frappée par la malédiction (comme le Sud profond dépeint dans les romans de William Faulkner), une malédiction remontant à l'époque de la conquête, entachée par des actes de cruauté mêlée d'avidité.

Une des nouvelles décrit un groupe de paysans auxquels on a attribué des terres après le démantèlement postrévolutionnaire des grandes haciendas. Les malheureux doivent marcher pendant onze heures dans la plaine désolée pour trouver en fin de compte les quelques arpents arides que leur ont alloués les autorités — lesquelles se sont attribué à elles-mêmes les riches terres au bord de la rivière. Sur place, les hommes épuisés constatent qu'aucun soc ne pourra jamais entamer ce sol dur comme roche. «Rien ne s'élèvera ici, pas même les vautours», dit l'un d'eux. Une autre nouvelle raconte l'histoire d'un fugitif qui apprend que les soldats lancés à sa recherche, furieux de ne pouvoir le débusquer, ont assassiné ses oncles.

Le court roman de Juan Rulfo raconte les aventures d'un jeune homme qui part à la recherche de son père, le Pedro Páramo du titre, qui les a depuis longtemps abandonnés, lui et sa mère, et dont on lui a signalé la présence dans une lointaine bourgade isolée de tout. A son arrivée, il découvre que les lieux sont uniquement peuplés de trépassés. Tous les habitants ont perdu la vie, apprend-il, parce que son père mourant — le prototype du caudillo de village rapace et assassin —, dans un dernier sursaut de sadisme, a fait couper les approvisionnements en nourriture du

Cet ensemble de bâtiments, aux murs recouverts d'un crépis lumineux, comportant une écurie et une piscine, offre tout un assemblage d'angles aigus artistiquement combinés par Luis Barragán, l'un des grands architectes dont s'enorgueillit le Mexique.

village. Et son fils, comme hanté par les fantômes des villageois morts de faim, meurt à son tour.

Toutes ces histoires sinistres sont animées d'une vie éclatante grâce à la stupéfiante originalité du ton sur lequel elles sont racontées. Dans le roman, tout particulièrement, où les morts côtoient les vivants, le rêve, les hallucinations se mêlent entièrement à la réalité, tandis que le temps s'arrête, recule, et coule à nouveau. Pourtant Rulfo, au sein de cette fantasmagorie, a recours — tout comme Azuela — aux mots les plus simples, au langage quotidien du monde rural. «Je ne veux pas parler comme vous écrivez», a-t-il dit, «mais écrire comme vous parlez.» Et cette prose économe, aux effets dévastateurs, ouvre «des aperçus sur l'âme de la ruine», a dit un critique.

L'espérance n'abonde guère dans le Mexique de Rulfo, mais une imagination aussi vigoureuse, une aussi impressionnante maîtrise artistique ne peuvent que se révéler de bon augure pour l'avenir. Aux yeux de certains, l'œuvre de Juan Rulfo, par son intransigeante «mexicanité», met un terme définitif aux influences européennes dans l'art et la littérature du Mexique. A cet égard, il a parachevé la tâche des écrivains et des artistes de l'ère révolutionnaire en donnant naissance à une littérature nationale authentique.

Les habitants de la ville d'Aguascalientes participent à un immense rassemblement organisé par le gouvernement en faveur de l'élection de Miguel de La Madrid Hurtado à la présidence du Mexique. Le pays étant doté d'un parti politique amplement majoritaire, son candidat est assuré de la victoire.

LE MEXIQUE MODERNE

Le 1er septembre 1982 au matin, le président José López Portillo convoqua les grands commis de l'État à une réunion extraordinaire, quelques heures à peine avant qu'il ne prononce son discours annuel à la nation et trois mois jour pour jour avant qu'il ne cède la place à son successeur déjà élu. Chacun pressentait l'annonce d'une grave décision. La manière dont celle-ci a été prise puis mise en application en dit long sur le Mexique, dont le système politique et économique est peut-être unique au monde.

Les vingt ministres et les trente directeurs des organismes d'État rassemblés ce jour-là s'attendaient à ce que le président leur parlât des mesures qu'il comptait prendre pour résoudre les graves problèmes économiques du pays: l'endettement vertigineux et l'inflation galopante entre autres; le marasme était dû aussi à la chute des revenus pétroliers et à la fuite des capitaux mexicains à l'étranger (selon López Portillo, une perte de près de 14 milliards de dollars). Mais la nouvelle annoncée surprit tout le monde: les 54 banques privées seraient nationalisées.

Bien que conscient de l'impact d'une telle décision, le président l'avait néanmoins prise pratiquement seul; il ne consulta qu'un seul ministre et n'avait fait part de ses intentions qu'à six autres. Même son successeur, Miguel de La Madrid Hurtado, n'avait eu connaissance du projet que la veille. López Portillo exigea que les partisans de la nationalisation apposent leur signature sur le décret officiel sans l'avoir lu au préalable. «Ceux qui veulent signer n'ont qu'à le faire», leur dit-il. «Ceux qui préfèrent s'abstenir resteront à l'écart du cours de l'Histoire.»

Adrian Lajous, directeur de la Banque pour le commerce extérieur, intervint: «Señor Presidente, je voudrais savoir si le fait de cautionner ce décret nous autorise à exprimer un avis? — Non, trancha López Portillo, c'est à prendre ou à laisser.» En privé, presque tous les ministres contestèrent cette décision mais Lajous seul formula une réserve.

Par cette mesure, l'économie du pays passait en grande partie sous le contrôle de l'État qui se donnait désormais les moyens d'une part de réglementer plus rigoureusement les taux d'intérêts et le crédit, d'autre part d'arrêter la fuite de capitaux vers l'étranger. En outre, la mainmise des banques sur de très nombreuses entreprises faisait de celles-ci la propriété de l'État.

Cette action spectaculaire allait avoir d'importantes implications politiques. En attirant l'attention, comme le fit le président, sur «une fraction de Mexicains qui, soutenus par les banques privées», avaient «pillé» la nation, il trouvait un bouc émissaire pour endosser la responsabilité de son incapacité à remédier aux maux du pays. En même temps, il semblait vouloir, par l'audace de son acte, s'assurer une place dans l'histoire, tout comme l'avait fait Cárdenas quarante-quatre ans avant, en nationalisant l'industrie pétrolière.

Comme on pouvait s'y attendre, les réactions furent mitigées. Le président de l'Association des banquiers du Mexique estimait que cet acte «ne ferait qu'aggraver la crise actuelle»; les chefs de l'opposition de gauche déclarèrent que la nationalisation des banques fortifierait l'économie. Mais pour opérer un redressement efficace, il fallait l'accompagner d'autres mesures, la dévaluation du peso par exemple.

Les Mexicains comprirent assez vite en quoi ce changement radical allait les affecter individuellement. Les classes moyennes aisées constatèrent que les restrictions monétaires et la dévaluation diminuaient la valeur de leur épargne. Tous redoutaient une baisse du pouvoir d'achat due à l'inflation. Et les syndicats craignaient, avec raison, la réduction des emplois et des avantages sociaux.

Néanmoins, le classe politique, la fonction publique et les syndicats ne tardèrent pas à soutenir l'action du président. Le Sénat et la Chambre des députés amendèrent la Constitution afin de légaliser la nationalisation des banques et la Cour suprême fit obligeamment traîner les procès intentés contre l'action de López Portillo jusqu'à l'adoption définitive de l'amendement constitutionnel. Lorsque le président fit appel à son propre parti, le Parti révolutionnaire institutionnel (PRI), 500000 personnes descendirent dans les rues de Mexico pour lui manifester leur soutien. Ce rassemblement ne fut du reste pas vraiment spontané. Les membres du PRI représentant les syndicats, les fonctionnaires et les ouvriers agricoles distribuaient de peties cartes que les manifestants devaient renvoyer dûment remplies attestant ainsi de leur présence. Au Mexique, ce genre de manipulations politiques se pratique fréquemment.

A l'évidence, le pouvoir exercé par le président du Mexique est considérable. Instance suprême du pays, le chef de l'État a toujours le dernier mot. Bien que la Constitution prévoie un pouvoir législatif élu et un pouvoir judiciaire indépendant, le président gouverne à l'image d'un ancien

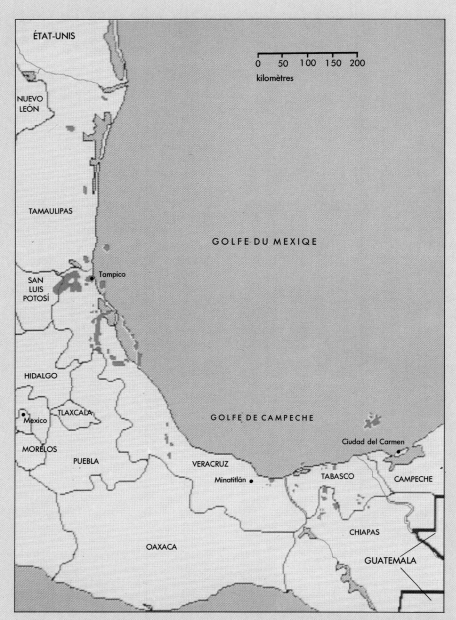

LES RICHESSES PÉTROLIÈRES DU MEXIQUE

«Nous trouvâmes une petite colline de forme conique où bouillonnait une source de pétrole», écrit le prospecteur américain Edward L. Doheny à propos de la découverte du premier champ pétrolifère au Mexique en 1901. Les Aztèques brûlaient déjà du pétrole lors de leurs cérémonies et les Espagnols l'utilisaient pour calfater leurs bateaux. Mais personne ne soupçonnait l'importance des réserves qui allaient convertir le pays en grand producteur de pétrole. La carte reproduite ci-dessus montre l'exploitation actuelle des puits.

empereur aztèque. On lui voue un respect proche de la vénération et ses options sont rarement contestées. Son mandat dure six ans, au terme desquels il ne peut être réélu ; mais jusqu'à la fin de son *sexenio*, il demeure l'autorité suprême.

Le président du Mexique moderne dirige un pays accablé par des problèmes sociaux qui semblent pratiquement insolubles — chômage, surpopulation, corruption à tous les niveaux de la société. Et les multiples contradictions qui déchirent la nation sont loin de lui faciliter la tâche. Le Mexique est un pays pauvre, au revenu par tête inférieur au cinquième de celui de la France ; toutefois son secteur industriel, déjà parvenu à un certain niveau de développement, poursuit son expansion et ses réserves de pétrole sont plus considérables que celles de n'importe quel pays, à l'exception de l'Arabie Saoudite. Même avant la nationalisation des banques, une bonne part des secteurs industriel et commercial — non seulement les pétroles mais aussi la petite industrie telle que la production de sacs en papier ou de vaisselle — était propriété de l'État. Les autres activités économiques subissaient une réglementation plus ou moins sévère. Or, loin de constituer un obstacle, le contrôle de l'État s'est souvent révélé bénéfique, grâce à la légèreté de l'impôt sur les sociétés.

La vie politique est aussi pleine de paradoxes. Les Mexicains se considèrent en démocratie « dirigée ». Dans le régime en place, il n'existe qu'un parti politique doté d'une influence réelle : le PRI, auquel ont appartenu tous les présidents depuis 1929. Sa fondation s'appuyait sur le principe selon lequel les factions belligérantes de la Révolution, qui voulaient voir se concrétiser les idéaux pour lesquels elles s'étaient battues, devaient unir leurs actions. En fournissant au gouvernement une base idéologique et un appareil grâce auquel les acquis politiques pourraient être distri-

bués, le PRI avait peu à peu réussi à assurer la stabilité d'une nation longtemps victime du chaos politique.

Le principal rival du PRI est le Parti d'action nationale, de tendance conservatrice, qui, lors des élections de 1982, remporta suffisamment de voix pour obtenir 50 sièges sur la centaine réservée aux partis minoritaires à la Chambres des députés, qui comporte 400 sièges au total. Parmi les autres groupes politiques figurent le Parti socialiste unifié du Mexique, agrégat d'organisations marxistes, et le Parti démocratique mexicain, de droite. Puis on trouve le Parti socialiste populaire, le Parti des ouvriers socialistes et le Parti des ouvriers révolutionnaires.

En vertu de l'un de ces paradoxes typiquement mexicains, le PRI — parti de la Révolution — recrute ses adhérents parmi la classe moyenne, d'où proviennent aussi les membres du gouvernement.

Incarnation du Parti et dirigeant du pays, le président est non seulement une figure qu'on respecte mais que l'on craint. Pendant les trois derniers mois du mandat de six ans de López Portillo, après qu'il eut nationalisé les banques, des rumeurs de coup d'État militaire annonçaient presque quotidiennement qu'il allait conserver le pouvoir et écarter son successeur élu. Mais le 1er décembre 1982 López Portillo remit l'écharpe présidentielle à Miguel de La Madrid Hurtado. Ce dernier quitta la Chambre des députés en pleine possession du gouvernement du pays, laissant le président sortant accablé se frayer un chemin dans la foule. Le terme de son mandat scellait la fin de son pouvoir.

L'Américain Frank Brandenburg, spécialiste des sciences politiques a écrit que « les Mexicains évitent les dictatures personnelles en changeant de dictateur tous les six ans ». Rien n'est plus mexicain que l'entrée en fonction d'un nouveau président. Bien que celui-ci soit élu au scrutin

populaire, le plébiscite ne fait que ratifier un fait accompli. On appelle *tapidismo* le processus secret selon lequel le président sélectionne le candidat à sa succession. Le futur président est choisi sur une liste de personnalités ayant la faveur des quelques dirigeants : les membres influents de l'équipe responsable du PRI, les responsables syndicaux et le cercle des conseillers personnels du président. Peu à peu chacun connaît — ou croit connaître — la liste des noms ; mais personne n'est assuré de l'identité exacte de l'élu jusqu'à ce que le président notifie son choix au PRI et dévoile *el tapado*, « le nom caché ». Lorsque López Portillo fut désigné, il était si peu connu du public que les journalistes assistant à sa première conférence de presse durent lui demander la profession de son épouse (pianiste) et le prénom de ses enfants. Mais pour le président sortant, Luis Echeverría Alvarez, il était ami et collègue de longue date. Tous deux avaient fait leurs études à l'université nationale autonome de Mexico et, s'étaient rendus au Chili pour se spécialiser en sciences politiques à l'université de Santiago.

Ministre des Finances durant le précédent *sexenio*, c'est apparemment son zèle exemplaire qui lui valut la préférence de Luis Echeverría. « Je l'ai choisi », devait déclarer ce dernier, « parce qu'il était l'homme le plus dépourvu d'attaches partisanes, celui qui refusait de s'engager dans des accords secrets ou discrets, celui enfin qui servait la nation sans jamais céder à aucune manœuvre de basse politique. » La plupart des observateurs pensèrent toutefois qu'Echeverría lui avait accordé sa faveur dans l'espoir de conserver une certaine influence au sein du gouvernement. Mais c'est supposer qu'il ait fait un mauvais calcul car quelques mois après son entrée en fonction, le nouveau président imposa l'exil politique à son mentor en le nommant délégué permanent du Mexique

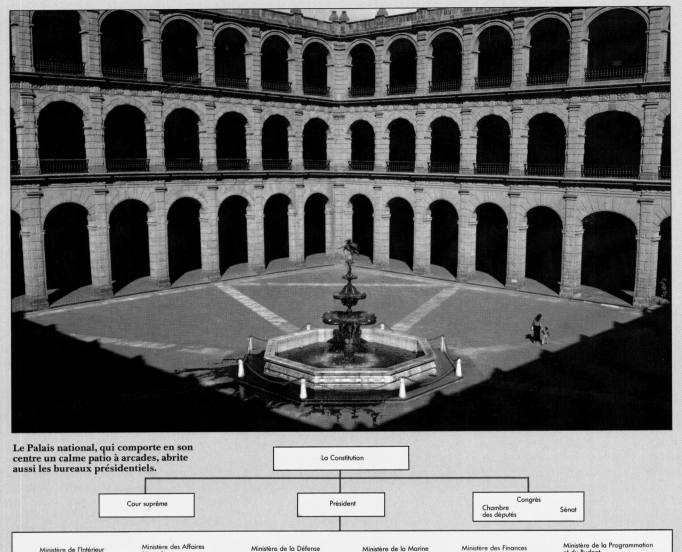

Le Palais national, qui comporte en son centre un calme patio à arcades, abrite aussi les bureaux présidentiels.

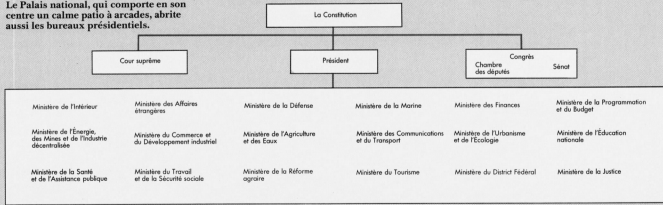

		La Constitution			
Cour suprême		Président		Congrès	
				Chambre des députés	Sénat

Ministère de l'Intérieur	Ministère des Affaires étrangères	Ministère de la Défense	Ministère de la Marine	Ministère des Finances	Ministère de la Programmation et du Budget
Ministère de l'Énergie, des Mines et de l'Industrie décentralisée	Ministère du Commerce et du Développement industriel	Ministère de l'Agriculture et des Eaux	Ministère des Communications et du Transport	Ministère de l'Urbanisme et de l'Ecologie	Ministère de l'Éducation nationale
Ministère de la Santé et de l'Assistance publique	Ministère du Travail et de la Sécurité sociale	Ministère de la Réforme agraire	Ministère du Tourisme	Ministère du District Fédéral	Ministère de la Justice

ORGANIGRAMME DU GOUVERNEMENT

Le gouvernement mexicain comprend trois corps: l'exécutif, le législatif et le judiciaire. Le président, qui détient de grands pouvoirs, est élu pour un mandat non renouvelable de six ans. Le Congrès, où s'élaborent les lois, se compose du Sénat (54 membres: deux par État et deux pour le District fédéral) et de la Chambre des députés qui en compte 400. Les sénateurs sont élus pour six ans, les députés pour trois. 300 députés sont élus, comme les sénateurs, au scrutin populaire, et les 100 autres sont choisis à la proportionnelle (tout parti remportant 1,5 p. cent des voix obtient une proportion équivalente sur les 100 sièges). La Cour suprême comprend 21 membres nommés par le président, sous réserve de l'accord sénatorial.

auprès de l'Unesco à Paris, et un an plus tard ambassadeur en Australie.

Étant donné que le choix du successeur est un acte de caractère fondamentalement privé, nul ne sait jamais à quels critères précis il répond. On a même parfois l'impression qu'il procède de considérations futiles ou fort peu objectives. L'arbitraire de l'ensemble du processus a été étudié de manière approfondie par l'historien Daniel Cosío Villegas. On cite en exemple Adolfo Ruiz Cortinez donnant son appréciation à la lecture de chacun des noms figurant sur la liste de candidats que lui fit en 1958 le chef du PRI, Agustín Olachea Aviles.

«Angel Carvajal...», commença Olachea. Le président marqua un temps de réflexion puis répondit posément: «Nous aimons beaucoup ce compatriote et nous le connaissons très bien. Mais il nous paraît inutile d'analyser ici les raisons pour lesquelles nous le connaissons si bien!

— Flores Muños...

— Quel choix difficile! C'est un très bon ami, un grand travailleur.

— Le docteur Morones Prieto...

— Ah, lui! Il a l'honnêteté de Juárez, l'austérité de Juárez, et comme lui, il est un grand patriote», commenta le président.

Quand Olachea eut fini de lire la liste, le président sortant lui demanda si quelqu'un avait mentionné le nom de López Mateos, alors secrétaire du Travail, et le chef du parti répondit: «C'est un homme très jeune, Monsieur le président.» Mais Ruiz Cortines ordonna toutefois à Olachea de s'enquérir de l'intérêt que porterait López Mateos à la magistrature suprême.

Olachea était persuadé que le Tapado ne pouvait être que Morones Prieto: en effet, pourquoi l'aurait-on comparé à Juárez, considéré au Mexique comme le modèle de l'homme d'État et le grand héros national? La demande du président concernant López Mateos ressemblait plutôt à une inspiration tardive, une fois

dit l'essentiel. Or, quelques jours plus tard, lorsqu'Olachea vint annoncer que López Mateos honorait cette proposition de candidature, le président déclara: «Inutile maintenant de continuer. C'est lui!»

Dès son entrée en fonction, le président devient l'héritier d'une structure politique qui n'a aucun équivalent dans toute l'Amérique latine. Les riches capitaines d'industrie qui forment l'élite économique sont peu nombreux et, bien qu'ils pèsent d'un poids certain sur l'échiquier national, leur influence ne s'étend pas de manière déterminante sur leurs homologues politiques; il n'existe pas au Mexique d'oligarchie à proprement parler. Les militaires

ont un pouvoir politique très limité; l'armée ne compte que 120 000 hommes et sa marge de manœuvre est étroitement contrôlée par les civils. Dans ce pays catholique à 89 pour cent, l'Église intervient également fort peu dans le domaine séculier dont elle a été écartée par les lois anticléricales promulguées après la Révolution; ainsi, le clergé n'a pas droit de vote, n'exerce aucune charge publique, ne possède aucune propriété. Cette législation rigoureuse interdit aux prêtres le port en public de vêtements sacerdotaux et l'enseignement religieux aux enfants, même dans le cadre des écoles confessionnelles.

De manière analogue, la majorité des membres du PRI, les campesinos, restent

L'ombre d'un cavalier paradant lors d'une campagne politique se projette ici sur un autobus portant l'emblème du principal parti du Mexique, le PRI. Des véhicules de ce types sont souvent utilisés par les candidats du parti lors de leurs tournées électorales dans le pays.

dans une grande pauvreté, sont peu instruits et pratiquement sans pouvoir. Bien qu'une certaine attention leur soit accordée, eu égard à l'assise électorale qu'ils représentent, ils n'ont jusqu'à présent produit aucune personnalité politique capable de défendre valablement leurs intérêts.

Mais l'élite politique — les hauts fonctionnaires du gouvernement, les avocats et les hommes d'affaires importants, les directeurs des industries nationalisées, les dirigeants syndicaux et les cadres du PRI — entend conserver sa suprématie et son auditoire, à défaut d'être toujours suivie.

Lorsque López Portillo décida, par exemple, de hausser les prix de l'essence, Fidel Velásquez, chef du plus grand syndicat du pays — la Confédération des travailleurs mexicains —, lui objecta que la charge financière entraînée par cette mesure serait trop lourde pour les membres du syndicat. L'augmentation fut alors reportée sur l'ensemble des prix.

La très forte influence des dirigeants syndicaux ne s'exerce pas seulement sur le gouvernement mais touche aussi leurs propres partisans. Les emplois au sein du syndicat — très convoités en raison des salaires et des avantages qu'ils offrent — sont attribués ou retirés par les cadres en considération de la volonté de coopérer de l'ouvrier candidat à un poste. Munis de cette arme redoutable, les dirigeants syndicaux utilisent la grève ou le débrayage en toute impunité et voient le gouvernement désarmé accepter toutes leurs revendications.

L'un des plus puissants syndicats du Mexique est celui qui contrôle l'ensemble des industries pétrolières du pays. Lorsqu'en 1938 les autres syndicats obtinrent une augmentation de salaire de 20 pour cent, les 120 000 travailleurs du pétrole arrachèrent quant à eux 43 pour cent. Cette supériorité est le fait d'un personnage remarquable: Joaquín Hernández Galicia, homme de petite taille, aux che-

Ouvriers de Nanchital arrivant tôt le matin au complexe de Pajaritos pour remplacer l'équipe de nuit.

LE PUISSANT SYNDICAT DES TRAVAILLEURS DU PÉTROLE

Toute redistribution vers la base des 15 milliards de dollars du revenu pétrolier du Mexique passe obligatoirement par le Syndicat national des travailleurs du pétrole. Fort de 120 000 adhérents, c'est la plus puissante organisation professionnelle du pays. Par le contrôle que le syndicat exerce sur tous les points d'embauche, son influence est considérable.

Son action a presque fait doubler les salaires et toutes les fois qu'il le peut le syndicat fournit à ses membres logement, écoles, loisirs et maintes commodités. La ville de Nanchital par exemple, près de Veracruz, est un modèle du genre: modeste hameau d'adobe au départ, elle a été construite par le syndicat pour les ouvriers du complexe pétrochimique

de Pajaritos, et compte désormais 30 000 habitants. Rues bien entretenues, eau courante, réseau d'autobus, hôpital et église, le syndicat gère tout. Bien qu'il existe à Nanchital des autorités municipales élues, le pouvoir réel est entre les mains du dirigeant syndical et il fait l'objet d'envie pour bien des hommes politiques du Mexique.

Le chef du *Local 11*, Francisco Balderas Gutierrez, discute avec un membre du syndicat à son bureau de Nanchital. Les images pieuses au mur témoignent de sa ferveur et de son soin à cultiver sa réputation de premier citoyen de la ville. Un circuit de télévision le renseigne sur les mouvements dans l'usine.

Des ouvriers attendent des heures entières un entretien avec le chef qui embauche, octroie les prêts, les terrains à bâtir, les bourses pour les études des enfants et autres faveurs. L'ampleur de son pouvoir auprès du syndicat fait de lui une éminence grise intervenant dans la plupart des affaires locales.

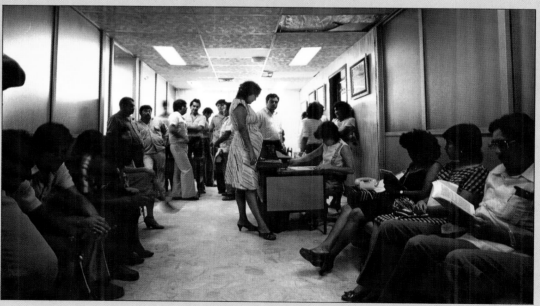

Maison ouvrière de Nanchital, construite
grâce à un prêt concédé par le syndicat,
à l'ombre d'une citerne de pétrole.

Dans ce kiosque élégant édifié sur la
proprette place principale de Nanchital
on débite des boissons et des casse-
croûte bon marché. A l'arrière-plan se
dresse fièrement la nouvelle église
construite avec les fonds du syndicat.

Une famille fait ses provisions à la
coopérative, en réglant avec des bons,
fournis par la compagnie en supplément
du salaire. Non loin, un autre magasin
du syndicat vend des vêtements et des
médicaments à des prix intéressants.

Ouvriers du pétrole faisant la queue au syndicat — certains doivent faire cette démarche tous les 28 jours.

veux ondulés et portant des lunettes; La Quina, contraction de Joaquín, est le surnom qu'on lui donne souvent. Officiellement, il occupe un poste relativement mineur: directeur des œuvres sociales et révolutionnaires. Mais en réalité, c'est lui le chef; il exerce son pouvoir de façon autoritaire et parfois aussi impitoyable. Selon ses détracteurs, la mort violente de nombre de ses opposants au sein du syndicat ne serait pas l'effet du pur hasard.

«Il n'est pas seulement un gangster — mais un homme d'affaires très avisé», a dit de lui un expert mexicain de l'industrie pétrolière. Grâce à son art de la manipulation, La Quina a fait du syndicat des travailleurs du pétrole une force politique incontestable et un véritable empire financier. Le syndicat prélève 2,5 pour cent du salaire de ses membres mais il a aussi le droit de prendre 2 pour cent de la valeur des contrats signés avec les autres compagnies; l'argent ainsi recueilli sert en principe aux «œuvres sociales». Et jusqu'en 1984, année de la promulgation d'une nouvelle loi, le syndicat avait la possibilité de sous-traiter la moitié de l'ensemble des contrats de forage pétrolier. Selon un ancien responsable syndical, grâce à cet arrangement, les compagnies privées payaient au syndicat des commissions atteignant 35 pour cent de ces contrats.

Une part importante de la fortune du syndicat est investie dans les affaires et sert théoriquement l'intérêt général de ses membres. Dans une des villes pétrolières du Mexique, la Section I du syndicat possède seize magasins de vêtements et d'alimentation; plusieurs usines de savon, de vêtements et de meubles; un commerce de métaux, une imprimerie et une entreprise de pompes funèbres; des sociétés de construction et de transport; un théâtre, un restaurant, un espace de loisirs et de vacances situé sur la côte; un centre de soins médicaux et un stade couvert d'un dôme.

Les panneaux indicateurs eux-mêmes affichent: «Don de la Section I.» Quel bénéfice exact le syndicat retire-t-il de toutes ces affaires, et qui précisément empoche cet argent? Autant de questions qui suscitent les controverses. Le syndicat a récemment révélé que son solde bancaire s'élevait, au début de l'année 1984, à 15 milliards de pesos (90 millions de dollars).

Les chefs syndicaux, comme les autres détenteurs du pouvoir, exercent leur influence au niveau national grâce à la position qu'ils occupent au sein du PRI. Le parti est organisé pratiquement comme un ministère, mais de manière autoritaire. Les décisions et les orientations y sont prises au sommet et se transmettent vers la base selon une hiérarchie stricte. Les responsables qui font partie des instances supérieures à l'intérieur du parti occupent généralement aussi des postes importants dans le gouvernement et se trouvent de ce fait bien placés pour défendre les intérêts de ceux qu'ils représentent. De la même façon, les membres de la base éprouvent la satisfaction de voir leurs revendications accéder au degré le plus élevé de la pyramide du pouvoir où elle reçoivent généralement un accueil favorable.

Pour ceux qui nourrissent des ambitions politiques, le PRI représente une voie d'accès au sommet de la hiérarchie, par le biais de la bureaucratie d'État qui emploie à elle seule 1,5 million de personnes. Travailler pour le gouvernement paraît donc un sort enviable. Les revenus correspondant aux positions importantes se mesurent moins en termes de salaire réel que par le nombre des avantages qui s'y attachent — faveurs, information intérieure et surtout commissions. D'une certaine façon, la corruption a toujours été considérée comme faisant partie de la vie du Mexique.

Traditionnellement, les fonctionnaires se divisent en deux catégories concurrentes: les *políticos* d'une part, les législateurs

6

élus et les administrateurs nommés, et les *técnicos* d'autre part, à savoir les technocrates ou techniciens.

Les *políticos* sont des politiciens professionnels. Il n'est pas pour autant nécessaire qu'ils soient des fonctionnaires élus. Luis Echeverría, par exemple, n'avait occupé aucun poste de ce type avant de devenir président en 1970. Au cours de sa carrière, toutefois, il a parfaitement maîtrisé les subtilités du système politique. Après s'être allié par mariage à une famille influente et avoir fait de bonnes études de droit à l'université nationale autonome de Mexico, il prit une part active à la vie du PRI. Œuvrant toujours en coulisse à son avancement politique, il obtint en 1946 la charge d'attaché de presse du PRI et devint chef de département d'abord au secrétariat de la Marine, puis au secrétariat de l'Éducation. En 1957, il fut nommé directeur administratif du PRI et, un an plus tard, revint au gouvernement comme sous-secrétaire à l'Intérieur. Ce poste lui permit d'accéder à celui de secrétaire de l'Intérieur, qu'il occupa jusqu'à son élection à la présidence.

Le successeur d'Echeverría, López Portillo, était un *técnico*. Miguel de La Madrid, l'actuel président du Mexique, appartient également à cette catégorie. López Portillo adhéra au PRI alors qu'il était étudiant. Cependant, il a exercé le métier de juriste et enseigné le droit pendant une dizaine d'années avant d'entrer dans la fonction publique. A la différence d'Echeverría, il ne s'éleva jamais très haut dans la hiérarchie du parti mais, dès le début de son activité au gouvernement, il put exercer ses compétences en matière de planification, d'investissement et de gestion. Le dernier poste qu'il occupa avant d'accéder à la présidence fut celui de ministre des Finances.

L'ascension au pouvoir des *técnicos* et des *políticos* a été largement étudiée par les spécialistes des sciences politiques. « Il n'y a pas de règle », soutenait un Mexicain devant Peter J. Smith, professeur au Massachusetts Institute of Tecnology. Néanmoins, dans ses recherches sur la vie politique mexicaine, Smith parvint à dégager vingt-deux règles du jeu. Beaucoup seraient valables dans n'importe quel pays, (travailler dur, ne pas se faire d'ennemis), mais plusieurs semblent parfaitement spécifiques au Mexique.

Avoir une bonne formation. Les trois quarts des titulaires de postes sont nantis de diplômes universitaires et cette proportion s'élève à 90 pour cent aux échelons supérieurs — dans un pays où moins de 4 pour cent de la population fait des études secondaires. Mais l'établissement fréquenté revêt une importance. Smith découvrit que pendant le mandat de López Portillo 71 pour cent de l'élite politique étaient allés à la même université que lui et que 54,5 pour cent y avaient enseigné.

L'affiliation au PRI. Il n'est pas nécessaire d'y jouer un rôle actif car seul compte l'engagement symbolique à défendre les idéaux égalitaires du parti. « Quoi que vous fassiez par ailleurs », énonce Smith, « n'adhérez pas à un parti d'opposition ! »

Appartenir à une *camarilla* ou « clan ». Quiconque aspire à un poste s'efforce de s'intégrer à une camarilla ou groupe non constitué de fonctionnaires dévoués à quelque personnage haut placé dans la hiérarchie. La fidélité de chaque membre au chef de la camarilla doit lui permettre de gagner ses bonnes grâces, mais ne doit pas, compromettre un changement d'alliance à la fin du *sexenio* ; l'interrègne est en effet marqué par la redistribution de dizaines de milliers d'emplois et la perte de pouvoir d'un grand nombre de dirigeants. Le jeu consiste à faire publiquement preuve de loyalisme envers tel personnage, tout en se ménageant secrètement la faveur de tel autre. « Je ne sais si j'aurai encore un emploi la semaine prochaine », s'inquiétait un jeune fonctionnaire peu avant l'investiture de Miguel de La Madrid. « Mon patron dit qu'il s'entend bien avec le nouveau président, mais on ne sait jamais. »

Se remplir les poches autant qu'il est possible. L'enrichissement personnel grâce à la fonction publique « est une chose normale de la part des fonctionnaires », observe Smith, « et constitue une sorte d'assurance contre la perte de leur emploi ».

Il existe différentes attitudes à l'égard de ce système, mais, comme le confia à Smith Ramón Beteta, ancien ministre des Finances : « Je ne comprends pas comment on peut croire que le président de la République ou quelque autre ministre puisse déclarer un beau matin : "Alors, à propos de cette affectation budgétaire, faites-en porter la moitié chez moi." »

« Il y a des gens qui le croient, je vous assure. Immédiatement après ma démission du gouvernement, j'ai été accusé d'avoir emporté les réserves d'or de la Banque du Mexique en Europe où j'allais prendre mes fonctions d'ambassadeur.

« Il n'est pas nécessaire d'agir de la sorte. Prenez un fonctionnaire informé des projets de construction d'une nouvelle autoroute et connaissant le responsable de l'exécution. Il peut fort bien, directement ou indirectement, acheter le terrain situé sur le tracé retenu et en obtenir une indemnisation. Moralement, ce n'est pas très honnête ; mais légalement, cette opération ne constitue pas un délit.

« Aux échelons inférieurs de l'administration commes les douanes ou les divers services de contrôle », poursuivit Ramón Beteta, « les inspecteurs reçoivent en effet ce qu'on appelle dans notre pays une *mordida*, un pot-de-vin, pour faire ou ne pas faire telle chose. Cette pratique existe à divers degrés : il y a la mordida pour faire accélérer la réponse à une requête parfaitement fondée, et il s'agit dans ce cas d'un

Les vives lumières et la flamme orange d'une torchère se reflètent sur les eaux qui entourent ces deux plates-formes de forage situées à 80 kilomètres de Ciudad del Carmen, une île de la baie de Campeche. La couleur verdâtre de l'eau est due à la nappe de pétrole.

véritable pourboire ; la mordida pour ralentir au contraire le cours d'une affaire et là les choses commencent à devenir sérieuses ; enfin, le troisième type de mordida est celle qui rétribue les actes illégaux comme par exemple la contrebande. »

La corruption telle que l'a schématisée Beteta existe peu ou prou dans tous les pays. Mais au Mexique, c'est un phénomène généralisé. De nombreux fonctionnaires ayant la haute main sur certains emplois en profitent pour prélever une commission d'embauche qu'ils partagent avec d'autres intermédiaires. Un ouvrier des pétroles au chômage a raconté à un journaliste étranger que le tarif en vigueur pour obtenir un emploi dans sa branche équivalait à dix jours de travail. « Actuellement, le prix est de 2 300 pesos. J'économise dans ce but. » En 1978, un emploi temporaire de deux mois s'achetait 4 000 pesos et un emploi de trois mois, 6 000 pesos. Un emploi plus ou moins permanent d'ouvrier non spécialisé coûtait 40 000 pesos, et un poste d'ingénieur mécanicien 150 000 pesos.

Outre le trafic des emplois, les fonctionnaires détournent à leur profit toutes sortes de propriétés d'État ou industrielles. De la construction d'une raffinerie aux commandes scolaires, tout projet permet aux négociateurs de contrats de toucher des commissions. Les pots-de-vin gagnés par tel fonctionnaire subalterne chargé d'acheter des bonbons pour les écoles publiques s'élevaient par jour à 3 500 dollars.

Les fonctionnaires haut placés, comme les ministres, font généralement partie du conseil d'administration de sociétés qui les payent grassement, sans que cela entraîne de conflits d'intérêt. Ils ont parfois aussi des parts dans les sociétés avec lesquelles ils sont en affaires et peuvent également réaliser des profits grâce à leur connaissance de certains projets de lois.

Selon Frank Brandeburg, qui a vécu et travaillé au Mexique, en 1964, un ministre ayant utilisé tous les moyens possibles pour se procurer de l'argent pouvait, à la fin du sexenio, se retirer du gouvernement propriétaire de deux ou trois maisons, peut-être d'autant de voitures, d'une bonne bibliothèque et de 100 000 dollars en liquide. Toujours selon Brandenburg, certains, parmi les plus puissants partaient

avec plusieurs fois cette somme en poche.

Les révélations publiques de cas de corruption font la joie des Mexicains. Telle fut leur réaction à l'annonce du mandat d'arrêt lancé par le gouvernement contre Arturo Durazo Moreno, chef de la police de Mexico sous la présidence de López Portillo. Un de ses anciens collaborateurs bien informé, qui l'accusait d'avoir volé 600 millions de dollars, dressa son réquisitoire dans un livre qui obtint, dès sa publication, un immense succès. Durazo — dont le salaire hebdomadaire s'élevait à 65 dollars — s'était acheté, à la périphérie de Mexico, une propriété d'une valeur de 2,5 millions de dollars, comprenant héliport, discothèque, gymnase, piste de course, casino, terrain de tir, lacs artificiels. Il possédait en outre sur la côte pacifique une maison avec portique à colonnes.

Des reportages télévisés montraient, avec force effets de zoom, les riches possessions de Durazo. Haussant les épaules, un ouvrier résuma la situation: «Les deux premières années, ils dénoncent la corruption, les deux suivantes, les choses continuent comme avant et les deux dernières, ils prennent ce qu'ils peuvent.»

Les effets de la corruption se font sentir dans tous les domaines. Comme on reprochait à un peintre en bâtiment, qui, contrat en poche, n'avait pas commencé son travail, celui-ci répondit: «Oh! señor, on pourrait commencer demain si seulement on avait un peu d'argent pour acheter de la peinture.» Une femme qui s'inscrivait pour passer son permis de conduire s'entendit demander: «Avec ou sans examen?» Ayant décidé de ne pas passer l'examen, elle dut payer le double du tarif. Moyennant un supplément, on peut même éviter de se faire examiner la vue. Dans les rues constamment encombrées du centre, les automobilistes ont compris qu'il revient beaucoup moins cher de laisser leur voiture garée en double file toute la journée

en graissant la patte à l'îlotier de service, que de louer une place.

Encore récemment, l'usage voulait que les journalistes perçoivent sur leurs articles des commissions — *embutes* ou «chair à saucisse» —, considérées comme un complément légitime de leurs revenus. Les correspondants financiers étaient payés par les banquiers, les journalistes politiques par les hommes politiques. On raconte même qu'un dignitaire du régime, en tournée dans le pays pour dénoncer la corruption et exalter le «renouveau moral», avait chargé son attaché de presse de distribuer à la quelque centaine de journalistes qui l'accompagnaient leur enveloppe hebdomadaire d'*embutes*. Quand, finalement, on renonça à cette pratique, plus d'un journaliste vit ses revenus baisser de moitié.

Le système politico-économique basé sur les dessous de table et le copinage fait régulièrement l'objet de lamentations et de vaines diatribes de la part des dirigeants mexicains. López Portillo inaugura son mandat — tout comme l'avait fait son prédécesseur — en déclarant une guerre sans merci à la corruption. L'un des personnages les plus importants à tomber sous le coup de la loi, fut le gouverneur du Coahuila: plutôt que de répondre de l'ac-

cusation d'«enrichissement inexplicable», il préféra démissionner. On affirme qu'il aurait amassé de 2 à 10 milliards de pesos, soit à l'époque entre 80 et 400 millions de dollars. Environ une demi-douzaine de fonctionnaires furent emprisonnés, tous reconnus coupables d'appropriation illicite de fonds publics. Mais la campagne commença bientôt à s'essouffler et au terme du mandat de López Portillo, certains membres de son gouvernement furent, à leur tour, accusés de corruption par son successeur Miguel de La Madrid.

Toutefois, malgré l'étendue de ce fléau national et l'apparente incapacité de chacun à le conjurer, le Mexique a réussi à poursuivre son essor économique. La diminution de la dépendance de l'économie à l'égard de l'agriculture constitue une part de ce progrès accompli. Environ 40 pour, cent de la main-d'œuvre vit aujourd'hui du travail de la terre contre 62,4 pour cent en 1950, et cette proportion continue à baisser du fait que l'industrie draine vers les villes, et surtout Mexico, une part croissante de la population.

Le passage de l'agriculture à l'industrie a été favorisée par la richesse des ressources minières du Mexique. Outre l'abondance

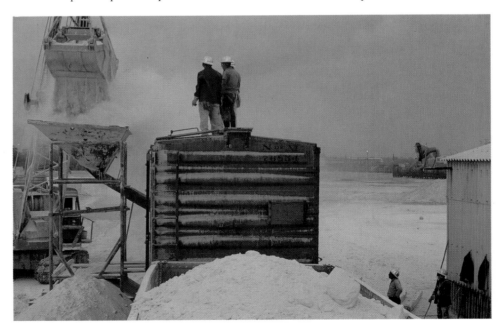

du pétrole, il existe de très importants gisements d'argent, de charbon, de fer, de soufre et de phosphates qui ont permis l'implantation d'usines pétrochimiques et sidérurgiques, ainsi que la fabrication d'engrais. Le pays possède certaines aciéries parmi les plus modernes du monde. La production est passée de 235 000 tonnes par an au lendemain de la Deuxième Guerre mondiale à plus de six millions — à peu près le tonnage de l'Allemagne de l'Est.

Dans le secteur manufacturier, le Mexique se situe parmi les pays en développement les plus avancés. Il a fait porter son effort sur les produits de substitution aux importations, toujours fort coûteuses en devises. Cette politique, destinée à réduire sa dépendance, favorise la construction

d'usines modernes pour la production de biens de consommation et le renforcement des barrières douanières afin de lutter contre la concurrence étrangère. Pour faire face à la demande croissante d'automobiles, les filiales de compagnies américaines, japonaises et européennes construisent 300 000 véhicules par an.

Des manufactures, dont la production est destinée à l'exportation, ont essaimé près de la frontière des État-Unis. Elles emploient, à des salaires médiocres des ouvriers peu qualifiés qui assemblent des appareils électroniques et électroménagers à partir de composants importés d'Asie et des États-Unis. Les produits finis sont ensuite exportés, principalement vers le marché nord-américain.

Le secteur manufacturier du Mexique — de l'acier et des produits chimiques aux biens de consommation — représente approximativement 25 pour cent de la valeur totale des biens et des services du pays — le produit intérieur brut ou PIB — contre 27 pour cent au Brésil, 29 pour cent en Italie et 4 pour cent dans cet autre pays riche en pétrole, l'Arabie Saoudite.

L'industrie mexicaine la plus prometteuse est le secteur pétrolier. Sa part dans le revenu des exportations représentait 75 pour cent début 1980 contre 14 pour cent seulement en 1976. Le développement de l'industrie pétrolière est en effet une histoire complexe de succès et d'échecs, dont le début remonte au tournant du siècle.

Le premier puits fut mis en service en

Ces trois hommes juchés sur le toit d'un fourgon assistent à un chargement de soufre, principal composant des engrais chimiques et source de devises pour le Mexique. Les réserves de ce minéral, estimées à 70 millions de tonnes, placent le pays au quatrième rang mondial.

6

1901; en 1921, le Mexique était le plus grand producteur mondial de pétrole. Dans les années 1930, on assista à une chute spectaculaire de la production due notamment aux litiges opposant le gouvernement à certaines compagnies étrangères sur la question de la propriété des puits. Jusqu'en 1973, le Mexique importait du pétrole. Mais une prospection à l'aide de techniques nouvelles a permis de localiser un immense gisement sous la baie de Campeche, dans la corne sud du golfe du Mexique. «C'est comme l'Arabie Saoudite», dit le chef de derrick Procoro Medina. «Là-bas, ils ont du sable. Ici, c'est de l'eau. Mais au-dessous, nous possédons la même chose: des lacs de pétrole.»

La grande découverte coïncida avec une forte demande pétrolière mondiale à la veille d'une hausse des prix du brut. La compagnie nationale Pemex se lança alors dans une expansion frénétique. Entre 1977 et 1980, ses ouvriers posaient en moyenne cinq kilomètres d'oléoduc par jour et installaient un gros compresseur tous les six jours, une plate-forme offshore tous les dix-neuf jours et une citerne de stockage tous les trois jours. En 1982. elle employait 134 000 personnes, et 2,7 millions de barils par jour plaçaient le Mexique au quatrième rang mondial des producteurs de pétrole.

La croissance des industries pétrolières et manufacturières marqua le début d'une nouvelle prospérité. De 1978 à 1981, la production industrielle augmenta de 7 à 8 pour cent et la construction automobile de 20 pour cent par an. Durant cette période, 3 millions d'emplois furent créés, le revenu par tête progressa de près de 25 pour cent, et le PIB s'éleva de quelque 8 pour cent annuels, taux bien supérieur à celui des pays occidentaux.

Mais l'année 1982 fut marquée par la stagnation du PIB. Les difficultés, amorcées par la baisse de la demande pétrolière mondiale entraînant une chute des cours

du brut, s'aggravèrent en raison de la lourde dette extérieure.

Au début des années 1970 — avant le boom pétrolier —, le Mexique avait commencé à emprunter aux banques étrangères l'argent investi dans la construction de son économie. Pour consolider la Pemex, le rythme des emprunts s'accéléra à un moment où les revenus des exportations pétrolières promettaient un bénéfice plus que suffisant pour payer les intérêts se révéla des prêts. Mais cette promesse se révéla bientôt illusoire. En 1982, la dette extérieure du Mexique se montait à 82 milliards de dollars dont un quart incombait à une seule société, la Pemex; les remboursements annuels s'élevaient à 16 milliards de dollars — payables en monnaie américaine seulement. «Il n'y a plus d'argent», pouvait-on lire à l'époque dans un important journal d'affaires américain. «Le Mexique, commes les autres pays en développement, n'a jamais eu les moyens de rembourser les emprunts qu'ils a multipliés auprès des banques étrangères.»

Cette dette a bien sûr eu des conséquences désastreuses sur le plan intérieur, obligeant le gouvernement à prendre de sévères mesures: les prix, les taux d'intérêt et les impôts montèrent, les augmentations

de salaire furent limitées, les dépenses publiques réduites et le peso fortement dévalué. Alors qu'au début de l'année 1982, le dollar s'échangeait à 26 pesos, sept mois plus tard, il en valait 130; au mois de décembre, l'inflation, calculée sur une base annuelle, atteignait 100 pour cent. Comme on l'avait redouté, le niveau de vie baissa considérablement. Les taux d'intérêt sur les prêts consentis aux particuliers subirent une hausse de 70 pour cent, les subventions de l'État pour les denrées alimentaires de base diminuèrent, le prix de l'essence tripla et une taxe de 15 pour cent sur la valeur ajoutée frappa les articles de seconde nécessité.

La catastrophe économique recentra l'attention sur les problèmes fondamentaux que les années de croissance régulière de l'investissement, des revenus et de la production n'avaient pu résoudre. Bien que cette prospérité eût créé de nombreux emplois, 40 pour cent de la population active restaient sous-employés, en fait au chômage. De plus l'augmentation des revenus concernait ceux qui gagnaient bien leur vie et ne profita guère à la majorité.

En 1950, le cinquième le plus déshérité de la population gagnait 4,7 pour cent du revenu national, alors que le cinquième le plus riche en accaparait à lui seul 58,9 pour cent. Cet écart n'a cessé de se creuser. Au cours des trois décennies suivantes, le revenu du cinquième le plus pauvre tomba à 3,3 pour cent du total; de fait, pendant ces trente ans, la baisse des revenus affecta près de la moitié de la population. Cet affaiblissement du pouvoir d'achat toucha aussi les riches, un cinquième de l'ensemble, dont les revenus diminuèrent, leur part étant ramenée à 55,1 pour cent du revenu national. Seule la classe moyenne enregistra une progression. La part des couches aisées de la classe moyenne, augmentée de 5,2 pour cent, passa à 41,6 pour cent du total et celle des moins favorisés de cette même classe, grâce à une hausse de 4,5 pour cent, s'éleva à 28,2 pour cent.

La condition des pauvres s'aggravant, les tentatives pour quitter le pays se multiplièrent et les vagues d'immigrants mexicains clandestins vers les États-Unis atteignirent 3 millions de personnes par an. Ce mouvement se poursuit aujourd'hui encore avec constance. Surnommés «dos mouillés» — parce que certains d'entre eux traversent à la nage ou à gué le Rio Bravo séparant les deux nations —, la plupart des immigrants reviennent rapidement au pays. Ceux qui demeurent là-bas en permanence envoient une bonne partie de leurs gains à leur famille. On évalue à 3 milliards de dollars la masse monétaire qui entre ainsi annuellement au Mexique. Cet apport de dollars — qui manquent si cruellement au pays — a pris une importance cruciale pour l'économie mexicaine. Ces envois permettent à des familles restées au pays de faire les achats de première nécessité et contribuent à créer une relative autonomie individuelle. Grâce à leurs économies, certains émigrés une fois de retour achètent des terres cultivables ou investissent dans une petite affaire. Dans l'ouest du Mexique, un homme revenant des États-Unis rapporta suffisamment d'argent pour

acquérir deux tracteurs et put ainsi louer ses services aux fermiers pour labourer leur parcelle. Dans toute la région, pour 7 000 agriculteurs, il n'y avait que trois tracteurs.

De tels cas de réussite restent malheureusement exceptionnels. L'impact économique à long terme de la modernisation du Mexique demeure ambigu. Tout en ayant accompli ce qu'on a appelé un miracle économique, les dirigeants mexicains ont nettement donné la priorité à l'industrie sur l'agriculture, aux villes sur les campagnes, au petit nombre sur la masse; et pour finir ils ont conduit le pays au bord de la banqueroute. Mais le progrès social marque indiscutablement quelques points.

Bien que le Mexique reste un régime autoritaire à parti unique, où le pouvoir est détenu par une élite, un nombre croissant de Mexicains pauvres a désormais la possibilité d'accéder à la classe moyenne. Cet avantage est dû à l'amélioration de la condition sociale, à l'allégement de la croissance démographique et au progrès de la scolarisation. La santé publique connaît aujourd'hui une situation meilleure que jamais. Entre 1940 et 1980 les progrès constants de la médecine ont fait diminuer de deux tiers le taux de mortalité. L'espé-

rance moyenne de vie, à peine supérieure à 40 ans en 1940, atteignit 65 ans en 1980. Ce résultat a notamment été obtenu par la baisse de la mortalité infantile de plus de moitié en quarante ans (à 57 pour mille en 1980, celle-ci restant néanmoins huit fois plus forte qu'en Suède et au Japon).

L'allongement de la durée de vie s'est traduite initialement par une poussée démographique; de 1940 à 1980, le nombre d'habitants a plus que triplé. Pendant un certain temps, le gouvernement pratiqua une politique nataliste. Mais en 1972 lorsqu'on constata les effets économiques et sociaux néfastes d'une expansion démographique incontrôlée, une campagne de planning familial fut lancée, principalement par les moyens d'information et par la distribution de contraceptifs. Cette même année, les évêques mexicains se sont distingués par une lettre pastorale faisant état de la «situation dramatique de la plupart des familles mexicaines» du fait de l'explosion démographique et saluant le caractère «humain» de la politique gouvernementale. Ce document, prenant position en faveur des méthodes traditionnelles de contrôle des naissances admises par l'Église a été interprété par une certaine partie de la

6

population comme une tolérance vis-à-vis des autres moyens de contraception.

Certes, la croissance démographique s'est ralentie mais on peut affirmer avec certitude que ce fléchissement est l'effet direct du programme mis en œuvre par les pouvoirs publics, car le taux de la natalité commençait déjà à décroître quelques années avant son application. Affichant peut-être un trop grand optimisme, le Mexique déclare maîtriser désormais sa démographie galopante. Celle-ci atteignit son point le plus haut avec 3,5 pour cent en 1975 et, en 1982, elle était retombée à 2,5 pour cent. L'objectif est de stabiliser le taux à un pour cent d'ici la fin du siècle. Or, près des trois quarts de la population ayant moins de 30 ans, le pays devrait enregistrer une énorme poussée démographique, même en limitant les naissances.

Le niveau d'éducation des parents est aujourd'hui un facteur qui affecte la taille de la famille; les couples ayant reçu une certaine instruction veulent moins d'enfants. Il est intéressant de noter que les femmes non scolarisées ont, en moyenne, six enfants, tandis que celles ayant fait des études secondaires en ont 1,3.

Au cours des dernières décennies, le nombre d'années que passent les enfants dans les écoles a connu une augmentation régulière. Bien que les chances d'accès à l'éducation soient loin d'être égales selon les régions et les classes sociales, de 1960 à 1980 le nombre d'inscriptions dans les écoles primaires a presque triplé et il est passé du simple au décuple dans les universités. Le taux d'alphabétisation, qui était à peine supérieur à 40 pour cent en 1940, a atteint 84 pour cent en 1980.

L'un des effets de ces progrès sociaux a été de contribuer à étendre — dans une société connue pour son machisme — le rôle des femmes. Depuis les années 1970, on observe leur présence à la Chambre des députés et à d'importants postes ministériels.

Ces changements s'inscrivent aussi dans un climat politique plus détendu. Le président et le PRI sont certes les détenteurs du pouvoir, mais ni l'un ni l'autre à aucun moment ne peuvent tenir leur suprématie pour acquise. A chaque élection, le candidat fait campagne comme si sa victoire était incertaine. Ce rite offre au PRI l'occasion de réaffirmer sa légitimité et sa fidélité aux idéaux révolutionnaires tout en fournissant un tremplin aux fonctionnaires locaux du parti pour entrer dans l'arène.

Au cours de la campagne, le candidat apprend à connaître les différentes régions du pays et forge son image auprès de l'électorat. En 1982, rapporte le responsable de la campagne présidentielle, Miguel de La Madrid a parcouru quelque 90 000 kilomètres, visité 600 villes et villages dans 29 États, participé à environ 2 000 meetings et s'est présenté à un public de près de neuf millions de personnes. Une estimation a révélé que le PRI avait investi 5 milliards de pesos (200 millions de dollars), plus de 5 fois le montant des dépenses engagées par le parti victorieux lors des élections présidentielles aux États-Unis deux ans auparavant.

Afin de rester en contact avec son peuple, le président mexicain fait de nombreuses tournées dans le pays au cours de son mandat. Dans les villages, il siège sous une tente bondée où il consacre trente secondes à toute personne désireuse de lui soumettre une demande ou de formuler une plainte. Un tel viendra exprimer une requête concernant des projets d'irrigation ou des améliorations à apporter à un marché municipal, tel autre formulera une demande qui malgré son apparence futile prend dans son contexte une importance particulière; par exemple cet homme sollicitant, pour la fanfare municipale, la fourniture de «deux trombones, quatre trompettes, trois saxophones, un tambour et une paire de cymbales».

Le président prête grande attention à toutes ces requêtes car, aussi grand que soit son pouvoir, il a besoin du soutien de son peuple ou, tout du moins, de son assentiment. L'opposition au régime s'exprime souvent à haute voix, parfois avec violence et dans certains cas par l'action. Les événements survenus en 1982 dans le Chiapas, et rapportés par le journaliste américain Kim Conroy, sont révélateurs de ce qui pourrait se généraliser au Mexique: «Quelques jours à peine avant l'entrée en fonction de nouveaux maires, le 1er janvier, la foule occupa la mairie dans plus de quinze municipalités pour dénoncer les fraudes électorales et exiger de nouvelles élections. Ces actions ont eu lieu dans un État où les gens acceptaient habituellement la fraude sans broncher.»

A Motozintla, expliqua Conroy, le candidat officiel du PRI s'était présenté contre un candidat du Parti populaire socialiste ou PPS, petit groupement d'opposition. «Les résultats donnèrent la victoire au PRI. Le PPS occupa alors la mairie en signe de protestation. La police locale n'opposa aucune réaction et, deux jours plus tard, le PRI céda. Les pouvoirs publics avaient accepté d'organiser de nouvelles élections en mars.» Le succès de la mobilisation de Motozintla fut un événement mineur. Mais, bien que peu répandu, ce genre d'initiative paraît être le signe d'une tendance susceptible de s'accentuer.

Si le pétrole représente le meilleur atout pour l'avenir économique du Mexique, les inégalités sociales engendrent toutefois des problèmes inquiétants qui menacent l'équilibre politique du pays. Mais la longue histoire du Mexique est celle d'un peuple qui a toujours su s'adapter avec souplesse aux situations nouvelles. Et il y a fort à parier que cette capacité des Mexicains ne leur fera pas défaut au moment d'affronter les tempêtes.

Devant la cathédrale de Guadalajara, les membres d'un parti d'opposition défilent avec une banderole réclamant « une démocratie authentique ». Le Mexique est toujours placé sous un gouvernement autoritaire, mais les formes de contestation modérées sont tolérées.

REMERCIEMENTS

L'index de cet ouvrage a été préparé par Barbara L. Klein. Pour leur assistance dans la préparation de ce livre, les rédacteurs tiennent à remercier : John Bailey, Department of Government, Georgetown University, Washington, D.C.; Elizabeth Boone, Conservateur de la Pre-Columbian Collection, Dumbarton Oaks, Washington, D.C.; Constance Carter, Alexandria, Va.; Kim Conroy, New York; Pilar Franzony de Paul, Service de presse, Ambassade du Mexique, Washington, D.C.; Philip B. George, Arlington, Va.; Institute of Current World Affairs, Hanover, N.H.; Dennis Kostick, Orlando Martino, Responsable de la Branch of Latin America and Canada, U.S. Bureau of Mines, Washington, D.C.; Cynthia McClintock, Department of Political Science, George Washington University, Washington, D.C.; Mary Miller, Department of Art History, Yale University, New Haven, Conn.; Susan O'Connor, U.S. Bureau of the Census, Washington, D.C.; Rafael Quijano, Chimiste, Petróleos Mexicanos, Washington, D.C.; Steven Sanderson, Department of Political Science, University of Florida, Jacksonville, Fla.; Mario de la Torre, Ingénieur, Cartón y Papel de México, S.A. de C.V., Mexico; Paul H. Wackworth, U.S. Department of State, Washington, D.C. Les livres suivants ont constitué une documentation précieuse pour la préparation de cet ouvrage : *Histoire véridique de la conquête de la Nouvelle-Espagne*, par Bernal Díaz del Castillo, Maspero, 1980; *The Course of Mexican History*, par Michael C. Meyer et William L. Sherman, Oxford, 2ᵉ édit., 1983; *The Mexican Political System*, par L. Vincent Padgett, Houghton Mifflin, 2ᵉ édit. 1976; *Le Labyrinthe de la solitude*, par Octavio Paz, Gallimard, Paris, 1972; et *Labyrinths of Power : Political Recruitment in Twentieth Century Mexico*, par Peter H. Smith, Princeton University Press, 1979.

SOURCES DES ILLUSTRATIONS

Les sources des illustrations sont séparées, de gauche à droite, par des points-virgules; de bas en haut, par des tirets.

Couverture : Harald Sund, Seattle. Pages de garde de début et de fin : Cartes de Lloyd K. Townsend, Maytown, Pennsylvanie.
Pages de garde de fin : digitalisées par Creative Data, Londres.

1, 2 : © Flag Research Center, Winchester, Massachusetts. 6, 7 : Thomas Nebbia, Caroline du Nord, graphique Sam Haltom/Another Color, Inc., Washington, D.C. Digitalisé par Creative Data, Londres. 8, 9 : Pedro Meyer, Mexico, graphique Sam Haltom/Another Color, Inc., Washington D.C. Digitalisé par Creative Data, Londres. 10, 11 : Peter Menzel 1983, Napa, Californie. 12, 13 : Graciela Iturbide, Mexico, graphique Sam Haltom/Another Color, Inc., Washington D.C. Digitalisé par Creative Data, Londres. 14, 15 : Thomas Nebbia, Caroline du Nord, graphique Sam Haltom/Another Color, Inc., Washington, D.C. Digitalisé par Creative Data, Londres. 16, 17 : Graciela Iturbide, Mexico. 18 : Peter Menzel 1980, Napa, Californie. 19-21 : Thomas Nebbia, Caroline du Nord. 22, 23 : Loren McIntyre, Arlington, Virginie — Hiser/Aspen, Colorado. 24 : Pedro Meyer, Mexico. 25 : Graciela Iturbide, Mexico. 27 : Loren McIntyre, Arlington, Virginie. 28, 29 : Thomas Nebbia, Caroline du Nord. 30 : Hiser/Aspen, Colorado. 31 : Kenneth Garrett 1983/Woodfin Camp Inc. 32, 33 : Graciela Iturbide, Mexico; Pedro Meyer, Mexico. 34-36 : Pedro Meyer, Mexico, 37 : Pedro Meyer, Mexico; Graciela Iturbide, Mexico (2) — Pedro Meyer, Mexico. 38, 39 : Graciela Iturbide, Mexico, sauf en bas, à droite, Pedro Meyer, Mexico. 40, 41 : Pedro Meyer, Mexico, cartouche, Graciela Iturbide, Mexico. 42, 43 : Tom Jacobi/Stern, Hambourg. 44 : Peter Menzel 1980, Napa, Californie. 45 : Hiser/Aspen, Colorado. 47 : Pedro Meyer, Mexico. 48, 49 : Pedro Meyer (2), Mexico — Graciela Iturbide, Mexico. 50, 51 : Pedro Meyer, Mexico. 52 : Graciela Iturbide, Mexico. 54, 55 : Tom Jacobi/Stern, Hambourg. 56, 57 : Thomas Nebbia, Caroline du Nord. 58, 59 : Steve Northup pour *Time*, Santa Fe, Mexico. 61 : René Burri/Magnum, Paris. 62, 63 : Graciela Iturbide, Mexico. 64, 65 : Pedro Meyer, Mexico. 66, 67 : Graciela Iturbide, Mexico (2) — Pedro Meyer, Mexico (2). 68, 69 : Graciela Iturbide, Mexico. 70, 71 : Graciela Iturbide, Mexico; Pedro Meyer, Mexico. 72, 73 : Kenneth Garrett 1982/Woodfin Camp Inc., Washington, D.C. 74 : Rare Books and Manuscripts Division, The New York Public Library, Astor, Lenox and Tilden Foundations, New York. 75 : Cartón y Papel de México, S.A. de C.V., Mexico. 76 : Irmgard Groth-Kimball/Thames and Hudson Ltd., Londres. 77 : Pedro Meyer, Mexico. 78, 79 : Dumbarton Oaks, Washington, D.C.; Justin Kerr 1983, New York; Munson-Proctor-Williams Institute, Utica, New York (2); Robert Sonin, Englewood Cliffs, New Jersey. 80, 81 : Mark Godfrey/Archive Pictures, Inc., New York. 82 : Library of Congress, Washington, D.C. 84 : Cartón y Papel de México, S.A. de C.V., Mexico. 85 : Norman Prince, San Francisco. 86 : Kenneth Garrett 1982/Woodfin Camp Inc., Washington, D.C. 88, 89 : Collection privée, reproduit par Steve Tuttle; cartouche, Pedro Meyer, Mexico. 90-97 : Pedro Meyer, Mexico. 98, 99 : Sebastiao Salgado Jr/Magnum, New York. 100 : Melinda Berge/Aspen, Colorado; David Alan Harvey, Richmond, Virginie; Hiser/Aspen, Colorado. 101 : Graciela Iturbide, Mexico; Thomas Nebbia, Caroline du Nord; Graciela Iturbide, Mexico. 103 : Bradley Smith/Gemini Smith Inc., Lajolla, Californie. 104 : Dumbarton Oaks, Washington, D.C.; Library of Congress, Washington, D.C. (3). 105 : Library of Congress; Wide World, New York — Pedro Meyer, Mexico. 107 : Library of Congress. 109 : Casasola Archives, Mexico. 110 : Library of Congress. 111 : Casasola Archives, Mexico. 112-115 : Library of Congress. 116 : Casasola Archives, Mexico. 117 : Casasola Archives, Mexico — Upi, New York. 118, 119 : Library of Congress, cartouches, Casasola Archives, Mexico. 120, 121 : René Burri/Magnum, Paris. 123 : Judith Bronowski, Santa Monica, Californie. 124, 125 : Pierre Kopp, autorisation Museum of Cultural History, Haines Hall à Ucla, Los Angeles. 126, 127 : Bradley Smith/Gemini Smith Inc., Lajolla, Californie. 128 : Peinture de Frida Kahlo, *Frieda et Diego Rivera*, 1931, 100 × 78,7 cm, San Francisco Museum of Modern Art, Collection Albert M. Bender, don d'Albert M. Bender, photo Don Meyer. 129 : Melinda Berge/Aspen, Colorado. 130 : Thomas Copker/Agentur Anne Hamann, Munich. 132 : Peter Menzel, Napa, Californie. 133 : René Burri/Magnum, New York. 135 : René Burri/Magnum, Paris. 136, 137 : Pedro Meyer, Mexico. 138 : Carte Bill Hezlep, Arlington, Virginie. Digitalisé par Creative Data, Londres. 140 : Harald Sund, Seattle, Washington. 141 : Pedro Meyer, Mexico. 142, 143 : Graciela Iturbide, Mexico; Pedro Meyer, Mexico (2). 144, 145 : Pedro Meyer, Mexico (2); Graciela Iturbide, Mexico. 146, 147 : Pedro Meyer, Mexico. 149 : Matthew Naythons pour *Time*. Sausalito, Californie. 150 : Farrell Grehan pour Photo Researchers, New York. 151 : Tom McHugh pour Photo Researchers, New York. 152 : Zigy Kaluzny/Gamma-Liaison, New York. 153 : Thomas Nebbia, Caroline du Nord. 155 : Randa Bishop 1983, New York.

BIBLIOGRAPHIE
LIVRES

Azuela, Mariano, *Ceux d'en bas*. Traduit de l'espagnol par J. et J. Maurin. Fourcade, Paris, 1930.

Benítez, Fernando, *The Century after Cortes*. The University of Chicago Press, Chicago, 1965.

Benson, Elizabeth P., *The Maya World*. Thomas Y. Crowell, New York, 1977.

Blancké, W. Wendell, *Juárez of Mexico*. Praeger, New York, 1971.

Brandenburg, Frank R., *The Making of Modern Mexico*. Prentice-Hall, Englewood Cliffs, N.J. 1964.

Bronowski, Judith, *Artesanos Mexicanos*. Craft and Folk Art Museum, Los Angeles, 1978.

Brotherston, Gordon, *The Emergence of the Latin American Novel*. Cambridge University Press, Cambridge, 1977.

Brushwood, John S., *The Spanish American Novel*. University of Texas Press, Austin, Texas, 1975.

Calvert, Peter, *Mexico*. Praeger, New York, 1973.

Carrillo Azpeitia, Rafael, *Mural Painting of Mexico*. Traduction David Casteldine. Panorama Editorial, Mexico, 1981.

Charlot, Jean, *The Mexican Mural Renaissance*. New Haven, Conn.: Yale University Press, New Haven, Connecticut, 1963.

Chevalier, François, *Land and Society in Colonial Mexico*. University of California Press, Berkeley, California, 1970.

Coe, Michael D.:
America's First Civilization. American Heritage, New York, 1968.
Mexico. Thames and Hudson, New York, 1982.

Cortés, Hernán, *La Conquête du Mexique* (relation originale). Traduit de l'espagnol. Maspero, Paris, 1979.

Cosío Villegas, Daniel, et coll., *A Compact History of Mexico*. El Colegio de Mexico, Mexico, 1974.

Cottrell, John, et les rédacteurs des Éditions Time-Life, *Mexico*. Coll. «Les Grandes Cités». Éditions Time-Life, Amsterdam, 1979.

Critchfield, Richard, *Villages*. Anchor Press, New York, 1981.

Cumberland, Charles C., *Mexico : The Struggle for Modernity*. Oxford University Press, New York, 1968.

Davies, Nigel, *The Aztecs : A History*. Macmillan, Londres, 1973.

De la Peña, Guillermo, *A Legacy of Promises*. University of Texas Press, Austin, Texas, 1981.

Díaz del Castillo, Bernal, *Histoire véridique de la conquête de la Nouvelle-Espagne*. T. I et II, traduit de l'espagnol. Maspero, Paris, 1980.

Eckstein, Susan, *The Poverty of Revolution*. Princeton University Press, Princeton, N.J., 1977.

The Europa Year Book 1983 : A World Survey. Europa Publications, Londres, 1983.

Fernández, Justino, *A Guide to Mexican Art*. University of Chicago Press, Chicago, 1969.

Foster, David William et Virginia Ramos, *Modern Latin American Literature*. Frederick Ungar, New York, 1975.

Foster, George M., *Tzintzuntzan: Mexican Peasants in a Changing World*. Elsevier, New York, 1979.

Goldman, Shifra M., *Contemporary Mexican Painting in a Time of Change*. University of Texas Press, Austin, Texas, 1981.

Grayson, George W., *The Politics of Mexican Oil*. University of Pittsburgh Press, Pittsburgh, Pa., 1980.

Guzmán, Martín Luis:
  L'Aigle et le serpent. Traduit de l'espagnol. Gallimard, Paris, 1960.
  L'Ombre du caudillo. Traduit de l'espagnol. Gallimard, Paris, 1960.

Harss, Luis, et Dohmann, Barbara, *Into the Mainstream*. Harper & Row, New York, 1967.

Hellman, Judith A., *Mexico in Crisis*. Holmes & Meier, New York, 1978.

Helm, MacKinley, *Man of Fire: J. C. Orozco*. Harcourt Brace, New York, 1953.

Herrera, Hayden, *Frida — A Biography of Frida Kahlo*. Harper & Row, New York, 1983.

Johnson, Kenneth F., *Mexican Democracy: A Critical View*. Édition revue et corrigée. Praeger, New York, 1978.

Johnson, William Weber, *Heroic Mexico*. Doubleday, Garden City, New York, 1968.

Kennedy, Paul, *The Middle Beat*. Teachers College Press of Columbia University, New York, 1971.

Langford, Walter M., *The Mexican Novel Comes of Age*. Notre Dame, Ind.: University of Notre Dame Press, Notre Dame, Indiana, 1971.

Leonard, Jonathan, et les rédacteurs des Éditions Time-Life, *Latin American Cooking*. Time-Life Books, New York, 1968.

Leon-Portilla, Miguel, *L'Envers de la conquête*. Traduit de l'espagnol. Federop, Paris, 1977.

Levy, Daniel, et Gabriel Székely, *Mexico: Paradoxes of Stability and Change*. Westview Press, Boulder, Colorado, 1983.

Lewis, Oscar, *Les Enfants de Sanchez*. Traduit de l'américain. Gallimard, Paris, 1973.

Meyer, Karl E., et les rédacteurs du Newsweek Book Division, *Teotihuacán*. Newsweek, New York, 1973.

Meyer, Michael C., et William L. Sherman, *The Course of Mexican History*. 2e édit. Oxford University Press, New York, 1983.

Micheli, Mario de, *Siqueiros*. Abrams, New York, 1968.

Nolen, Barbara, *Mexico's People: Land of Three Cultures*. Charles Scribner's Sons, 1973.

Orozco, José Clemente, *José Clemente Orozco: An Autobiography*. Traduit par Robert C. Stephenson. University of Texas Press, Austin, Texas, 1962.

Padgett, L. Vincent, *The Mexican Political System*. 2e édit. Houghton Mifflin, Boston, 1976.

Parkes, Henry Bamford, *A History of Mexico*. Houghton Mifflin, Boston, 1966.

Payne, Robert, *Mexico City*. Harcourt Brace, New York, 1968.

Paz, Octavio, *Le Labyrinthe de la solitude*. Traduit de l'espagnol. Gallimard, Paris, 1972.

The Phillips Collection, *Rufino Tamayo — Fifty Years of His Painting*. Press of A. Colish, Mount Vernon, N.Y., 1978.

Quirk, Robert E., *Mexico*. Prentice-Hall, New York, 1971.

Raat, W. Dirk., *Mexico — From Independence to Revolution, 1810-1910*. University of Nebraska Press, Lincoln, Neb., 1982.

Reed, Alma, *The Mexican Muralists*. Crown, New York, 1960.

Reed, John, *Le Mexique insurgé*. La Découverte-Maspero, Paris, 1975.

Robe, Stanley L., *Azuela and the Mexican Underdogs*. University of California Press, Berkeley, Calif., 1979.

Rodman, Selden, *Tongues of Fallen Angels*. New Directions, New York, 1974.

Rodríguez Antonio, *A History of Mexican Mural Painting*. G.P. Putnam's Sons, New York, 1969.

Rodríguez Monegal, Emir, *The Borzoi Anthology of Latin American Literature*, Vol. 2. Knopf, New York, 1977.

Rulfo, Juan:
  Le Llano en flammes. Denoël, Paris, 1966.
  Pedro Páramo. Traduit de l'espagnol. Gallimard, Paris, 1979.

Sandstrom, Alan R., *Traditional Curing and Crop Fertility Rituals among the Otomí Indians of Sierra de Puebla, Mexico*. Indiana University Museum, Bloomington, Ind., 1981.

Simpson, Lesley Byrd, *Many Mexicos*. University of California Press, Berkeley, Calif., 1971.

Smith, Bradley, *Mexico, A History in Art*. Doubleday, New York, 1968.

Smith, Peter H., *Labyrinths of Power: Political Recruitment in Twentieth-Century Mexico*. Princeton University Press, Princeton, N.J., 1979.

Sommers, Joseph, *After the Storm*. University of New Mexico Press, Albuquerque, N. Mexico, 1968.

Soustelle, Jacques:
  La Vie quotidienne des Aztèques à la veille de la conquête espagnole. Hachette, Paris, 1972.
  L'Univers des Aztèques. Hermann, Paris, 1979.

Stuart, Gene S., *The Mighty Aztecs*. National Geographic Society, Washington, D.C., 1981.

Toneyama, Kojin, *The Popular Arts of Mexico*. Weatherhill/Heibonsha, New York, 1974.

U.S. Bureau of the Census, *Detailed Statistics on the Urban and Rural Population of Mexico: 1950 to 2010*. U.S. Bureau of the Census, Washington, D.C., 1982.

Weaver, Muriel Porter, *The Aztecs, Maya and Their Predecessors*. 2e édit. Academic Press, New York, 1981.

Weil, Thomas E., et coll., *Area Handbook for Mexico*. 2e édit. U.S. Government Printing Office, Washington, D.C., 1975.

Wilkie, James W., et Albert L. Michaels, *Revolution in Mexico: Years of Upheaval, 1910-1940*. Knopf, New York, 1969.

Wolfe, Bertram D., *The Fabulous Life of Diego Rivera*. Stein and Day, New York, 1963.

Womack, John, *Emiliano Zapata*. Traduit de l'anglais. Maspero, Paris, 1976.

PÉRIODIQUES ET AUTRES SOURCES

Bermúdez, José Y., «A Word with Tamayo.» *Américas*, août 1974.

«Can Mexico City Survive?» *Encuentro*, Mexico News, 1er septembre 1983.

«The Capital of Underdevelopment.» *Harper's*, mai 1981.

Chereny, Lawrence, et Manuel Bennett, «Dr. Atl: Father of Mexican Muralism.» *Américas*, février 1981.

Conroy, Kimberly A., «Chiapas Revisited.» (KAC 18) Institute of Current World Affairs, 21 avril 1983.

«Dying an Urban Death?» San Jose *Mercury*, 20 août 1983.

Eberstadt, Nick, «La Crisis.» *The New Republic*, 18 octobre 1982.

Edwards, Mike, «Mexico: A Very Beautiful Challenge.» *National Geographic*, mai 1978.

Gall, Norman, «Can Mexico Pull Through?» *Forbes*, 15 août 1983.

Green, Eleanor Broome, «Tamayo: The Enigma and the Magic.» *Américas*, mars 1979.

«The Growing Pains of Mexico's Biggest Slum.» Dallas *Times Herald*, 9 mars 1980.

International Labor Review. «The Place of Mexico City in the Nation's Growth: Employment Trends and Policies.» Mai-Juin 1982.

«Mexican Child Rearing Fights Macho Tradition.» *Christian Science Monitor*, 19 juin 1978.

«Mexican Feminists Turn Their Attention to Social Issues.» *The New York Times*, 12 décembre 1979.

«Mexico: Art and Activism.» *Newsweek*, 27 juillet 1964.

«Mexico: Crisis of Poverty/Crisis of Wealth.» *The Los Angeles Times*, 15 juillet 1979.

«Mexico Has Created a Monster Too Big, Too Dirty, Too Poor.» *The Miami Herald*, 26 février 1981.

«Mexico's Oil Workers Have Powerful Leader in Hernandez Galicia.» *Wall Street Journal*, 20 janvier 1984.

«Mexico's Unfolding Graft: A Prodigal Police Chief.» *The New York Times*, 31 janvier 1984.

«Mexico, the City That Founded a Nation.» *National Geographic*, mai 1973.

«Mexico: Turmoil and Promise.» *Christian Science Monitor*, 5 avril 1979.

Nicholson, H.B., «Revelation of the Great Temple.» *Natural History*, juillet 1982.

Population Reference Bureau, «Mexico's Population Policy Turnaround.» Décembre 1978.

«Problems of Mexico City.» *The New York Times*, 15 mai 1983.

Riding, Alan, «Facing the Reality of Mexico.» *The New York Times Magazine*, 16 septembre 1980.

Sanders, Thomas .G., «Mexican Population: 1982.» *Universities Field Staff Reports* 1982/N° 34.

Shorris, Earl, «Homage to Juan Rulfo.» *The Nation*, 15 mai 1982.

«The Squatter Settlement as Slum or Housing Solution: Evidence from Mexico City.» *Land Economics*, août 1976.

Squirru, Rafael, «Tamayo: Mexican par Excellence.» *Américas*, octobre 1963.

U.S. Dept. of Energy, Energy Information Administration, «The Petroleum Resources of Mexico.» (Foreign Energy Supply Assessment series.) Washington, D.C., 1983.

Vasquez, Juan M., «Mexico City: Strangling on Growth.» *The Los Angeles Times*, 8 décembre 1983.

«We are in an emergency.» Time, 20 décembre 1982.

«Women in the Informal Labor Sector: The Case of Mexico City.» *Signs*, The Journal of Women in Culture and Society, automne 1977.

INDEX
Les chiffres en italique renvoient à une illustration.

Composition photographique par Photocompo Center, Bruxelles, Belgique.
Impression et reliure par Printer industria gráfica, S.A. Provenza, 388, Barcelone, Espagne
Photogravure réalisée par Scan Studios Ltd., Dublin, Irlande.
Dépôt légal: mars 1985.
Depósito legal B: 2935-1985